어짐으로 이어진 우리

목차

0cm 고래와 파도의 거리 · 조희진

고래와 파도 …10
황혼 …12
인화(燐火) …13
단풍의 사정 …14
전월(傳月) …15
꽃의 시간 …16
향수 …18

53cm 보폭 · 전승현

수영 …22
우주비행사 …23
유인도 …24
오아시스 …26
살구 심기 …28
지문을 따라 …30

90cm 책상 끝과 끝의 거리 · 김푸름

Noah …34
〈인터뷰〉 …56

1m **유골을 매장하는 최소 깊이** · 김머피

송사 …62
굿모닝 우유 900ml …80
날개 …88
쿠오바디스 도미네 …89
빛무리 …90

8m **너와 봄의 거리** · 구산일

프롤로그 1-2 …94
주우황빛 1-4 …96
에필로그 봄 1-2 …100
번외 1-2 …102

1km **안개의 수평시정 범위** · 백승효

검은 구멍 …106
담배와 안개 …109
포물선 그리기 …114

12nm **영해** · 윤채

바라는 바다 …120
愛憎 …121
애정 무한 …122
완주군 삼례읍 가인길 …123
故海 …124
양파 兩罷 …125

51mi 실비아 플래스의 가스오븐에서 버지니아 울프의 강가까지 · 김효찬

여류시인의 자살 …128
벚나무 …130
연어 …132
여름비를 차라리 좋아하기로 했다 …134
〈인터뷰〉 …135

400741km 지구의 둘레 · 이시찬

구충 프롤로그 …148
구충 (1) …162
구충 (2) …178
삼자대면 …195
행복 정신병동 402호 …199

0cm

고래와 파도 사이

조희진

고래와 파도 사이

고래는 파도가 좋았다.

숨 막히도록
밀려오는
거품들의 향연,

고래는
콧속을 간질이는
그들의 외침이 좋았다.

쉴 새 없이
달려가는
걸음발의 진동,

고래는
순간을 아우르는
그들의 울림이 좋았다.

고래는
그의 몸에
자꾸만 부딪혀 오던
그들이 좋았다.

어느 날
스러져도 스러져도
웃으며 거품을 일던
그들은 사라져버렸다.

외딴 섬의
사이사이로 들어간
물결들은 갈라지고 뜯겨나갔다.

고래는
더 이상
외침과 울림이 없는
바다를 견딜 수 없었다.

고래는
오로지
숨이 끊어진 물살들을
받아들일 뿐이었다.

황혼

세상이
주황빛으로
물들 때

도시는
분주함으로 가득,
차 있습니다.

따뜻한 음식을 손에 들고
어딘가로 전화를 걸고
금방 갈게,라며 웃음 짓고
걸음을 바삐 재촉하는 사람들 사이에

나는 홀로 앉아
세상에 섞이는 그들을 바라봅니다.

각자의 색채가
도시의 주황빛에 스밀 때
나의 색은 오직 無일 뿐.

온 세상이
서로 빛깔을 나누며
어딘가로 끊임없이 향할 때

나는 방향을 잃은 채
그저, 오도카니 서 있습니다.

인화(燐火)

덜커덩거리는 열차 속
회색 의자에 실려
작은 반동에
문틈에서 애를 먹던 몸을 맡기자

머리끝까지
무상에 잠식된 나를
곳곳에서 조여오는
허망의 눈동자들

나를 옭매여오는
그 눈동자들 속
일렁이는 도깨비불 하나,

다리가 불편한 아이의
손을 살포시 잡아주던
할머니의 미소일까

부른 배를 부여잡고
눈치를 살피던 아가씨 앞
자리에서 슬며시 일어나던
학생의 무거운 책가방일까

형형스레 빛나는
그 불빛이
차가우던 의자를
조금은 데워주었나 보다.

단풍의 사정

겨울이 오면
우리는 헤어져야해,

공기가 서늘해지자
나무는 잎사귀와의 이별을 준비합니다.

이별의 추위를 느낀
잎사귀는 나무를 지키고자 푸름을 버립니다.

잎사귀를 사랑하는 푸름도
기꺼이 자신을 내려놓습니다.

이제는 잎사귀도
나무를 위해 자신을 놓을 차례겠지요.

남이 보기엔
그저 붉은 사랑의 풍경이지만,

잎사귀는
파괴적인 이 사랑이
너무나도 야속하다며,
벌건 얼굴을 하고선 눈물을 삼킵니다.

전월(傳月)

물먹은 하늘,
밤색과 귤빛이
연노랑으로 수놓아질 때

달을 눈에 담다,
차고 넘치고 흘러,
쏟아져 나오더이다.

나는 이를
못내 견딜 수가 없어
당신께 전하기로 하였습니다.

내 시선을 작게 잘라내어
달빛을 몇 조각 붙이고
창윤한 이슬로 당신의 이름을 적습니다.

당신께도
내 달의 빛이 조금은 스며들기를.

오늘밤은
찬란한 달빛이
창을 가득히도 채웁니다.

꽃의 시간

길 위에
꽃들의 탄생을
몇 번이고 지켜보는 동안

고사리손으로
접어 만든
카네이션은
한아름의 꽃다발이 되었다

날 보는
당신들의 얼굴은
여전히 기쁨이지만서도

자랑스럽게
색종이꽃을 받아들던,
그때에는 없던

세월의 흔적이 가득하다

언젠가

축하의 화환보다
위로의 화환을 자주 보내게 될 때면

야속한
세월을 원망하며
흰 국화를 준비할
어떤 미래를 생각하는 것이다

당연히
흐르기 마련인
내가 사랑했던 시간이
때로는 씁쓸하다

향수

귓가에
그때의 선율이 스치면
나는 아주 잠시 동안
추억의 저편으로 빠져들어요.

차가운
음표들의 노래가
내 뺨을 어루만지면
잉글던 태양도 잠시 눈을 감죠.

문득
그대의 향기가
코끝에 스치우는 까닭은
분명, 이 음표들의 춤사위겠지요.

아무래도
음악은 향취를 가지고 있나 보아요.

나는 작은 병에
이 선율을 담아내어
소중히 지닐 심산입니다.

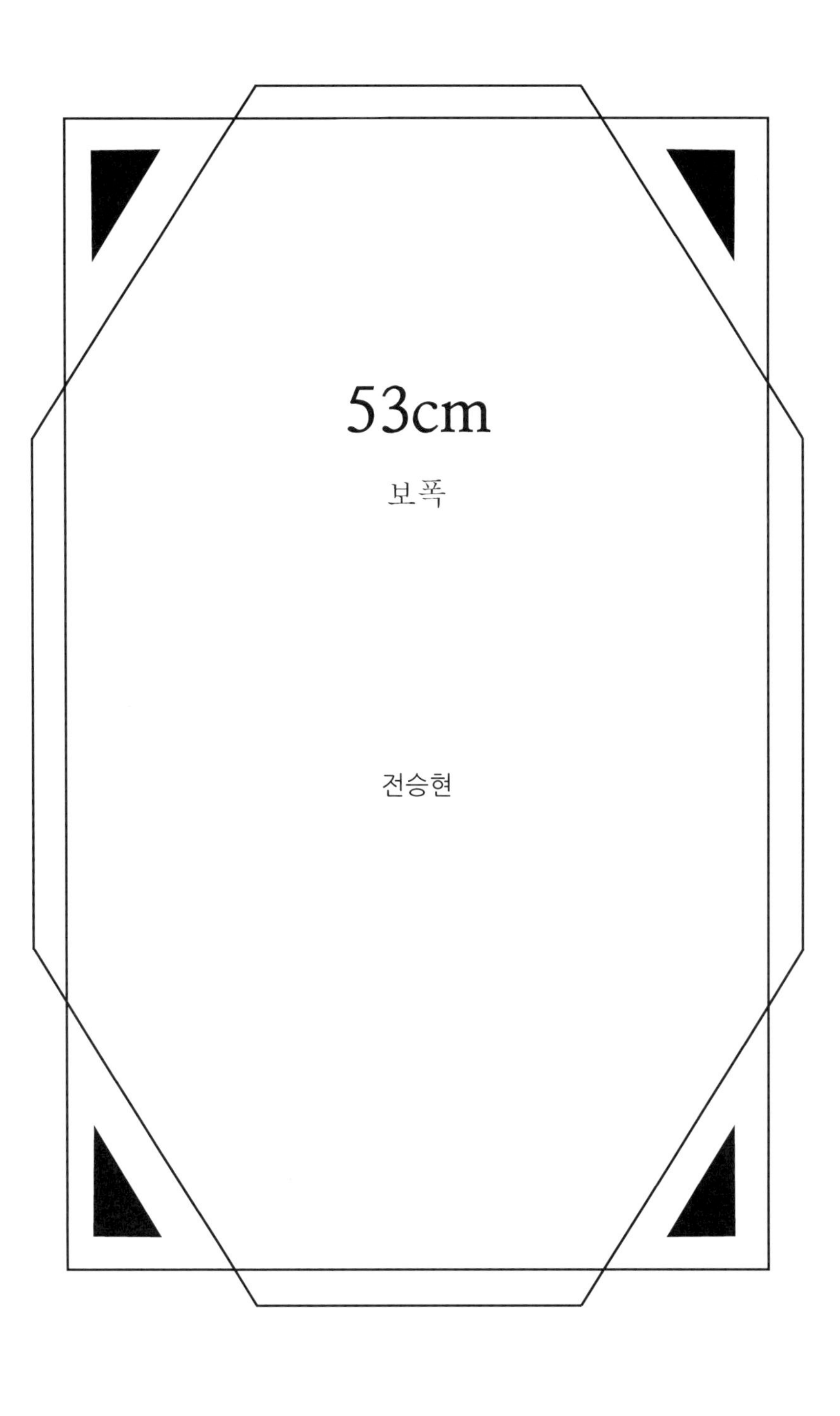

53cm

보폭

전승현

수영

무슨 일로 오셨습니까

침대에 구렁이 생깁니다
제 머리 모양입니다

여기에 머리가 자꾸 빠집니다
나는 잃어버리지 않고 싶은데

비가 들어찹니다
천둥이 덮칩니다
놓아뒀던 어제들이 썩습니다

그는 구렁을 발견하지 못한다
나는 다시 머리를 누인다
내 위로 시간이 쌓인다

나의 온 몸에 온 몸이 겹친다

거지 두고 온 발자국이 유난히 깊다
그건 아직 보드랍고
내 머리의 모양이다
가만히 귀를 기울인다

문득 나는 발자국의 소리를 듣고 계속 걸어야 한다는 걸 깨달았다

우주비행사

외로운 빛
기차 하나가 온다
꼬리가 길다

너는 깜빡임마다 넓어진다
나는 가끔 빽빽한 공허를 달려
너를 탓하러 가고 싶다

네가 처음으로 밟았었는데
거길 가는 방법을 물으면
네 이름을 말하면 됐는데

네가 두고 간 발자국이 늙어간다
그건 이제 저 멀리 있다
눈꺼풀에 통증이 인다

늘어난 나의 역사를 본다
너는 모르는 것들이다

우리의 미지가 팽창한다
주저하며 손을 뻗는다

너도 가끔 내 생각을 할까

유인도

어떻게 돋은 것들이 하나가 되지

여기부터 여기까지
그들의 말로 가득찼다
그건 하나의 공간
서로의 심장에 각자의 박동을 잇는다
시선으로 경계한다

그 선에 녹고 싶었는데

나에게도 점이 있다 까맣고 고요한
그걸 보면
나는 아주 혼자가 되었다

돋아난 것을 지우는 건
결국 돋은 것을 마주보는 일

나는 섬처럼 서 있다
선이 될 방법을 모색하며

어떻게 돋은 것들이 하나가 되지
고요한 점을 들여다 보고
나는 내가 너무 멀리 서 있다고 생각했다

오래 돋아난 것은 오랜 이야기가 있다
점들이 나를 바라보았다

눈을 아주 오래 뜨고 있었는데
눈이 아픈 기억은 없다

이제 그 섬의 이름을 알겠다

오아시스

저 끝에
빛이 있다

관은 나를 딛고 있었다
저게 뭐냐고 물었고
사막이 일렁인다

개 한 마리는
입가가 젖은 채 뛰었다
창 밖에서

뜨겁겠구나
나는 오래 죽지 않았다
그건 시시한 장르가 되었다
나는 미지근하다

모든 온도가 같을 때
나는 비로소 형태를 잃는다
그게 나의 관이다

저 빛은 시원할 것 같은데
그때 내게 눈이 있다는 생각이 들었다

저 빛은 진짜로 쬐는 걸까
도망쳐야 할까 아니면
손을 뻗어야
빛은 너무 멀어서
눈동자가 일렁인다

모르겠어
개가 떤다
열기에 지친 채
쓰러지는데

눈이 밝다

저 빛은 계속해서 빛을 끌어당기고
사막의 빛들이 자꾸 모여 가는데
어둠을 헤치는 건 저것뿐인데

모르고 두었던 뼈를 타고 한기가 올라온다
몸을 떨어본다
저 빛을 쬐어야 할까
아니면 도망쳐야
아니면

묵었던 몸을 일으킨다 실은 바람이 불고 있었다
굳은 어깨를 편다
나는 비로소 나만큼의
온도를 가지고
발을 딛는다
뜨겁구나

품 안에는 개가 있다
우리는 눈이 밝다

살구 심기

너와 살구를 먹으면 꼭 한 조각이 남았다
조각을 쓰다듬으면서 우리는 웃었다
이 조각을 어떻게 하지

우리는 조각을 나누는 일을 어려워한다
그건 우리를 나누는 일과 같다

내가 조각 하나를 내밀고 웃었을 때 너는 진지해졌다
그게 동공이었거나 혹은 콧잔등이었거나
너에게 주었으므로 괜찮다고 생각했는데
왠지 나도 울음이 나왔다

그걸 모두 이고 달리면 무거울 텐데
운동장 위에서였다
너의 지난 날들이 너무 많아서 너는 간혹 뒤뚱거린다
우리는 발목을 묶었다
짝은 부딪힌 사람으로 정했다

내가 네비게이션을 살피면 네가 같이 들여다 보았다
갈 곳이 멀고 도착지가 없어
자꾸 멀어져
그걸 네가 말하니까 슬프지 않았다

달리다 힘들면 우리는 아주 고요히 침묵을 내지른다
그럼 어떤 일들은 또다시 하나의 조각이 된다

한 번 부딪힌 것만으로 이만큼 달리게 된 것은 행운이다
나 역시 마지막 조각은 너에게 주리라 다짐한다

지나온 트랙에 일 인분의 기억을 심어 두었다
나에게 작별이 늘어나고 있으나
그게 없으면 안 될 것 같은 기분이 들었다

우리는 같은 트랙을 달렸다
먼 곳에서 다시 만날 것이다

그건 필연

지문을 따라

우리는 다르지만 눈을 감고
자주 잠을 청하고
발자국을 따라 걷고
목소리에 서로의 폐를 울리며
울지 않기로 결심했다

먹을 것을 거르면 가장 슬펐다
우리가 삶에서 멀어지고 있어
서로를 소분해서 냉장고에 넣는다

정전이 일면 보이지 않겠지만
그래도 버려지지 말자

약지를 거는 건
가장 연약한 부분을 맡길 수 있다는 건데

지문 사이로 박동이 옮는다
삶을 수분하면 우리는 그나마
일어설 수 있게 된다

가장 끝과 끝
내밀한 곳을 가졌으니

난 너의 박자를 시들지 않게 해야겠다

90cm

책상 끝과 끝의 거리

김푸름

Noah

TO. Luca

루카, '바다' 기억 나? 진짜 바다말고, 우리가 지구에 갔을 때 데려온 구형 휴머노이드 말이야. 생물세포창고에 있던 기록용 로봇. 오늘 아침부터 계속 바다랑 얘기 하면서, 지구에 남았던 연구원들의 연구기록을 많이 얻을 수 있었어. 그런데 그 연구기록 중에 노아가 완성됐다는 이야기가 있더라. 지구의 연구 기록에서는 노아가 아니라 다른 이름이었지만, 그게 겨우 이름 하나 다르다고 못 알아볼 만한 게 아니잖아. 그건 누가 뭐래도 노아가 맞았어.

다만 문제는, 우리 중 그 누구도 창고에서 그 샘플을 발견한 사람이 없다는 거야. 완성됐다면 실물이 있어야할텐데 말이지. 혹시 다른 곳에 보관되어 있지 않을까 싶어서 바다한테 물어봤는데, 다른 질문에는 잘 대답해줬으면서 노아가 어딨는 지에 대해서만 물어보면 '단'을 만나고 싶다는 말만 해. 단, 너희 할머니 말이야.

오늘 비번인데 이런 부탁해서 미안하지만, 연구소로 한 번만 와줬으면 좋겠어. 노아의 행방을 알아낼 수 있는 사람은 너 밖에 없을 것 같아. 메시지 확인하는 대로 연락 줘. 정문 로비에서 기다릴게.

내가 아주 어릴 때, 여러 기계소리에 눌려 잠 못드는 밤이면 할머니는 나를 안아들고 이런저런 이야기를 해주시곤 했다. 그 이야기는 보통 할머니가 지구에 계셨을 적의 기억이었는데, 바람소리가 가득하던 들판이나 새파란 바다, 붉게 물든 저녁 하늘 같은 풍경을 비롯해 할아버지를 만나던 날, 엄마가 태어나던 날, 지구를 떠나 우주로 오던 날과 같은 여러 경험담 같은 얘기들이었다. 할머니는 내가 더 이상 기계소리에 잠을 설치지 않게 되던 그 날까지 매일 밤 내게 정말 많은 이야기를 해주셨다.

그 중 내가 가장 생생하게 기억하는 건 바로 '금리'의 이야기였다. 할머니의 친구였고, 함께 멸종된 생물을 복원하던 일을 하던 동료였으며, 할머니가 지구를 떠날 때, 반대로 지구에 남기를 선택했던 사람.

할머니가 돌아가신 지금도, 나는 금리를 이야기하던 할머니의 목소리와 얼굴윤곽을 기억한다. 다른 어떤 이야기를 할 때보다 느리고 깊게, 곱씹듯이 여러 번 말하는 할머니의 목소리.

그 목소리가 떠오를 때면, 할머니 안에서 결코 작지 않았을 존재인 금리에 대해 생각하곤 한다. 모든 것들이 서서히 죽어가는 그 행성에서 그는 무엇을 남겼을까, 하고.

2

바로 연구소로 가겠다고 답장을 보냈다. 생각이 많아져 속이 답답했다. 노아, 아마 할머니가 지구에서 연구했던 것, 지금 우리가 완성해야하는 것, 지구의 모든 생물을 복원시키는 일의 기본이 되는 세포, 지구에서 금리가 완성시킨 것, 노아. 계속 오타가 났다. 세 번은 넘게 지웠다 쓴 것 같았다.

눈에 보이는대로 옷을 집어입고 급하게 연구소 로비에 도착하자

많은 사람들 사이에서 선배의 모습이 보였다. 선배도 곧 나를 발견했는 지 크게 손을 흔들었다.

- 루카, 생각보다 빨리 왔네.

네, 저도 신경이 쓰여서요.

선배는 동의한다는 듯이 고개를 끄덕였다.

- 일단 올라가자, 올라가면서 이야기해줄게.

선배의 말에 가볍게 대답하곤 엘리베이터에 올라탔다. 천천히 바뀌는 빨간 숫자를 한참 바라봤다. 오늘따라 유독 숫자가 느리게 바뀌는 것 같았다. 옅게 들리는 기계소리 말곤 아무것도 들리지 않았으나, 곧 선배가 그 적막을 깨며 입을 열었다.

- 너도 문자를 읽었으니까 알겠지만, 노아가 완성됐대. 아직 사람이 살던 시절의 지구에서.

나는 시선을 숫자에서 선배에게로 옮겼다. 잔상이 선배의 얼굴에 겹쳐보였다.

- 하지만 노아가 지구 어디에 있는 진 몰라. 그 샘플의 위치를 아는 건 바다 밖에 없고.

- 그 바다는 노아의 위치를 물어볼 때마다 저희 할머니 얘기를 하고 있고요. 혹시 그래서 제가 노아의 행방을 알아낼 수 있을 거라고 하신건가요?

선배는 한숨을 쉬며 고개를 끄덕였다.

- 너는 단의 손녀고, 할머니와 같은 일을 하고 있는 연구원이야. 어쩌면 바다가 너에게 만큼은 이야기 해 줄 지도 몰라.

- 지금처럼 바다랑 이야기하는 것 말고도 다른 방법이 있지 않을까요? 기억장치를 빼서 확인해봐도 되고...

- 바다가 구형 휴머노이드인 건 알지? 지구에 사람이 남아있었을 시절 만들어진 구형, 오랜 시간 관리해줄 사람도 없이 방치된 로봇이야. 지금 작동되는 것도 기적인데, 섣불리 해체했다가 아무것도 못 얻고 끝날 지도 몰라. 지금 상황에선 대화가 가장 안전한 방법이고, 그래서 가능한 이 방법을 쓰고 싶어.

그렇다면 내가 바다와 이야기하는 건, 선배의 말처럼 이 상황에서 생각해낼 수 있는 가장 완벽한 방법이었다. 하지만 난 할머니가 아닌데. 생각이 가득해 말이 막혔다. 침묵과 함께 복도 끝 방에 다다르자 복도를 가득 메우던 발소리가 사라졌다. 여전히 내 대답이 없자, 선배는 돌아 서서 나와 눈을 마주친 채 천천히 말을 이었다.

- 막막한 거 알아. 나 같아도 그럴거야. 다른 사람이 해야되는 일

을 너한테 넘기는 것 같다고 생각할 수 도 있어. 그래도 부탁할게.

- 아뇨, 그렇게 생각 안해요. 선배 말대로 한 번 해볼게요. 아무 것도 안하는 것보단 이렇게라도 시도해봐야죠.

선배는 고개를 푹 숙였다가, 안심했다는 듯이 웃으며 고개를 들곤 다시 나와 눈을 마주쳤다.

- 고마워, 정말.

- 이건 제 일이기도 한걸요.

나도 그를 따라 웃어보였다.

곧 엘리베이터의 문이 열렸다. 선배는 따라오라는 듯, 나를 한 번 바라봤다가, 복도 가장 끝방을 향해 걷기 시작했다. 길게 이어진 복도 끝에, 바다가, 노아가 있다.

3

바다가 기다리는 방 앞에 도착하자, 선배는 숨을 한 번 크게 쉬더니 방 문을 열었다.

- 천천히 이야기해도 돼. 개인적으로 바다한테 듣고 싶은 게 있으면 물어봐도 되고. 난 자료실에 있을테니까, 끝나면 바로 연락줘.

나는 그를 따라 크게 숨을 들이마신 뒤 고개를 끄덕였다. 천천히 열린 방 안으로 들어가자, 조명 아래 바다의 모습이 보였다.

등 뒤로 문이 닫히는 소리와 함께 온전히 바다와 둘이 남았다. 작은 방, 의자 두 개, 빈 의자 위에 놓인 휴대용 소형 녹음기, 옅은 불빛, 바다. 나는 방 안으로 걸어가, 바다의 반대편에 놓인 의자에 앉아 다시 한번 크게 심호흡을 했다. 천천히 바다의 모습이 눈에 들어왔다. 얼핏보면 사람처럼 보이는 외형이었지만, 피부는 사람의 것이라기보단 관절인형의 표면 같았다. 조명에 매끈하게 그림자가 진 팔이 유독 눈에 들어왔다.

- 안녕하세요.

내가 인사를 하자 바다는 옅게 웃었다. 나는 아까 집어든 녹음기의 버튼을 누르고 말을 이었다.

- 우선, 내 이름은 루카에요. 여기서 일하고 있는 연구원이고요. 혹시 여기가 어딘 진 알아요?

- 정확히는 모르지만 지구는 아니에요. 우주 어딘가에 있는 연구소라는 것, 그리고 여기서 지구와 지구의 생물들을 복원하려고 한

다는 건 알고 있어요.

- 그 정도만 알고 있어도 충분할 것 같아요.

바다는 여전히 편안하게 웃는 얼굴로 나를 바라보고 있었다. 자연스러운 표정과 제스처가 정말 사람 같이 느껴졌다. 저 표정엔 감정이 없을텐데, 있더라도 누군가가 만들어낸 감정일텐데. 선배가 해체를 망설인데엔 바다가 정말 사람 같이 느껴지는 것도 한 몫 하지 않았을까 하는 생각이 들었다.

- 저는 당신과 얘기하고 싶어서 왔어요. 물어보고 싶은 것도 있고요.

- 어떤 걸 물어보고 싶나요?

나는 음, 하고 소리를 내며 잠시 답을 미뤘다. 바다도 아무 말을 하지 않으니 기계소리가 더 크게 들렸다.

어떤 이야기를 먼저 하는 게 좋을까. 지금 당장 노아에 대해 물으면 분명 지금까지와 똑같이 할머니를 찾을 것이다. 이 이야기는 가장 나중으로 미뤄둬야 할 것 같았다. 그럼 지금은 무슨 이야기를 해야할까. 여전히 기계소리만 귀에서 맴돌던 그때, 문득 할머니께서 내게 해주셨던 얘기들이 떠올랐다. 결국 단에 대해, 할머니에 대해 얘기해야 한다면, 좀 가벼운 얘기를 해보는 것도 좋을 것 같았다.

- 당신은 지구에 남아있던 사람들과 같이 살았었잖아요?

- 네, 그랬죠.

- 혹시 그 사람들의 이야기를 해줄 수 있나요? 어떻게 지냈는지, 지구에 남아서 어떻게 생활했는 지 같은 것들이요.

바다는 잠시 생각하는 듯이, 눈을 두어번 느리게 끔벅거리다 입을 열었다.

- 저는 지구에 남은 모든 사람들을 만나보진 못했어요. 연구실과 세포창고에서 살았고, 그 곳에서 살던 연구원이나, 그 근처를 잠시 지나쳐간 사람들 만을 만났죠. 그 사람들에 대한 이야기라도 괜찮을까요?

- 네, 저도 그 사람들의 이야기가 궁금해서 물어본 거니까요.

- 그렇다면 다행이네요.

잠시 손에 쥔 녹음기를 바라보자, 전원 버튼 밑에 놓인 램프에 빨간 빛이 깜빡거렸다. 잘 녹음되고 있다는 신호였다. 다시 바다에게로 시선을 옮기자, 그는 곧 이야기를 시작했다.

- 사람들은, 모두 각자의 이유로 지구에 남았어요. 하고 싶은 일이 있어서, 떠날 여건이 안되서, 그저 지구에 남고 싶어서... 그 이

유들을 저는 이해할 순 없지만, 아마 사람들은 이해할 수 있는 이유일 것이고, 그들 각각의 상황에서 가장 합리적인 선택이었을 거에요.

- 후회하는 사람들은 없었나요?

- 많았어요. 가족이나 친구와 다신 볼 수 없게 되어 매일 슬퍼하던 사람도 있었고, 행성이 점점 죽어간다는 걸 직접 목격하면서 괴로워하는 사람도 있었어요. 하지만 그만큼 후회하지 않는 사람도 많았죠. 그 중엔 홀가분해보이는 사람도 있었어요.

내가 고개를 끄덕이자 바다도 따라 고개를 끄덕였다.

- 각자 다른 이유로 지구에 남았고, 각자 다른 생각을 가지고 있었더래도, 그 사람들은 함께 한다는 사실을 소중히 여겼어요. 혹시 지구를 떠난 사람들이 돌아왔을 때를 대비해 작은 기록이라도 남기려고 노력했고요. 아마 저를 가동시킨 것도 같은 이유일거에요.

- 그때부터 사람들이랑 같이 지냈나보네요.

- 네, 만들어진 건 아직 사람들이 남아있을 때라고 들었지만, 제가 보고 듣기 시작한 건 그 이후에요.

그럼, 그 사람들은 어떻게 사라졌나요?

현재 지구에 남아있는 사람은 없었다. 결코 적은 수는 아니었다. 그는 잠시 생각하는 듯 하더니 말을 이었다.

– 노화, 암, 지병... 치료할 수 있는 수단들이 하나 둘 씩 사라지면서 다른 사소한 질환 때문에 그렇게 되기도 했고요. 전염병이 돈 적도 있었는데, 그 때 창고를 떠난 사람들은 어떻게 됐는 지 모르겠어요. 연락할 방법이 없었거든요. 그 사람들이 남긴 편지 외에는, 아마 어떤 흔적도 남아있지 않을 거에요.

창고에 처음 도착했을 때, 우리는 많은 양의 일기와 편지, 메모 등을 발견할 수 있었다. 이미 지워져버린 것도, 간신히 읽을 수 있는 것도, 아직 선명히 남아있는 것도 있었다. 나는 지금 바다의 이야기를 들었지만, 그들이 어떤 마음으로 지구에 남아 기록은 남겼는 지는 짐작할 수 없었다.

내가 더 이상 질문하지 않자 다시 정적이 찾아왔다. 녹음기는 여전히 빨간 빛을 깜빡거리고 있었다. 나는 내 발끝을 바라본 채, 옅은 기계소리 사이로 금리에 대해 생각했다. 바다가 만났던, 이제 사라져버린 사람들 가운데 금리가 있을 것이다. 할머니의 이야기 밖에서 금리에 대해 들은 적은 없었다. 바다는 금리에 대해 더 많은 것을 기억하고 있을까. 왜 그는 단을 찾고 있을까. 나는 천천히 바다에게로 시선을 옮겼다.

– 혹시 같이 지냈던 사람들을 모두 기억하고 있나요?

바다는 천천히 고개를 끄덕였다.

- 그러면.

말이 목에 걸리는 느낌이 들었다. 나는 크게 숨을 내뱉고, 다시 말을 이었다.

- 그러면, 금리에 대해서도 기억하고 있나요?

바다는 눈을 두어번 깜빡이다가, 느리게 입을 열었다.

- 여기서 금리에 대해 물어보는 사람은 당신이 처음이에요.

그는 움직이지 않고, 생각하는 듯이 가만히 눈을 감았다. 이번엔 바다가 대답을 하지 않았다.

전보다 긴 정적이 이어졌다.

- 금리는 어떤 사람이었나요?

내가 다시 금리에 대해 묻자, 바다는 천천히 눈을 뜨곤 나를 바라봤다.

- 금리는 내 소중한 친구였어요.

내가 친구, 하고 중얼거리자 그는 작게 고개를 끄덕였다.

- 그는 나를 그렇게 대했으니까요. 그렇다면 나도 그렇게 대해야죠.

나도 따라 고개를 끄덕이자, 바다는 다시 얘기를 시작했다.

- 금리는 열정적이고, 책임감이 강한 사람이었어요. 지구에 남은 것도 남은 연구를 끝까지 해내기 위해서 였어요. 지구를 떠나 이곳에 오면, 이전에 해오던 연구들은 모두 우선순위에서 밀려날 테니까요. 지구를 떠나 잘 적응할 자신도 없었다고 했어요.

- 금리는 지구에 남은 걸 후회하지 않았나요?

- 가끔, 어쩌면 자주 후회했을 거에요. 하지만 꿋꿋하게 일했고, 성공적으로 연구를 마쳤죠.

- 그럼 금리는 어떻게 사라졌나요.

그는 눈을 길게 감았다가 떴다.

- 연구를 마치고 얼마 지나지 않았을 때, 마지막으로 창고와 근처 벙커에서 전염병이 돌았어요. 금리는 그 전염병에 걸려 죽었어요. 이미 몸이 많이 안 좋았는데, 그 병 때문에 결국 그렇게 됐죠.

아마 내가 얼굴을 찌푸렸던 것 같다. 바다는 내 표정을 살피듯 시선을 이리저리 움직이다가 곧 말을 이었다.

- 금리는 연구를 마치고 나서부터 죽을 때까지, 같이 연구하던 친구를 만나서 연구의 성공을 알리고 싶어 했어요. 결국 완성은 함께 할 수 없었지만, 그래도 해냈다고요.

처음으로 들은 금리의 근황이었다. 이미 몇 년, 몇 십년이나 흐른 이야기지만, 할머니의 기억 속 금리가 아닌 지구에서 홀로 버티며 노아를 완성 시킨 금리의 이야기였다. 바다는 하고 싶은 말이 끝났는 지 곧 말을 멈췄다. 먹먹한 기분이 들어 입술을 씹었다.

- 당신은 금리를 어떻게 알고 있나요?

바다는 조용히 말을 건넸다. 그 소리에 나는 바다를 가만히 바라보다가, 곧 되물었다.

- 금리가 만나고 싶어 했던 그 친구의 이름이 '단' 인가요?

목소리가 좀 갈라진 것도 같았다. 바다는 내가 금리에 대해 물었을 때처럼, 아무 말 않고 눈을 깜빡이다가, 그 때보다 더 천천히 말을 꺼냈다.

- 그걸 어떻게 알았어요?

- 할머니는 늘 금리의 이야기를 했어요. 단, 당신이 찾던 그 단은 우리 할머니에요.

내 말을 들은 바다의 눈이 조금 커진 것도 같았다. 나는 바다에게 단을, 할머니를 이야기했다.

5

너한텐 지구가 할머니의 이야기 속에나 있는 행성 같겠지. 하지만 할머니는 정말 그 지구에 살았어. 지구는 여기처럼 기계소리가 가득 찬 회색빛 공간이 아니야. 파란 하늘, 푸른 바다, 초록빛 산... 바람이 불 때 갈대나 풀잎이 흔들리는 소리, 새 소리, 벌레 소리 같은 게 가득한 곳이 바로 지구란다. 너도 지구에서 태어났다면 잠드는 걸 이만큼 무서워하진 않았을텐데. 너한테 이렇게 말로만 지구를 알려줄 수 없어서 미안한 마음도 들어.

할머니는 지구에서 멸종된 생물을 복원하는 일을 했어. 보람차고 즐거웠지. 인간이 없앤 생물을 인간이 되살리는 게 이기적인 일이라고 느낀 적도 있지만, 그만큼 되살리는 게 그들에게 하는 최소한의 사과라고, 난 그렇게 생각한단다. 이젠 사과할 수 없겠지만... 너무 어려운 얘기였니?

할머니가 지구에 살았을 때 말이다. 세상에서 제일 친한 친구가 하나 있었어. 같이 일하던 동료기도 하지. 그 애의 이름은 금리였어. 꽉 막히고 답답한 면도 있었지만, 그만큼 열심히 연구하고, 정직하고, 착한 애였단다. 난 그 애가 참 좋았어. 금리랑 정말, 정말 오랜 시간을 같이 보냈는데, 그래서 아직 그 애와 떨어져 지낸 시간보다 같이 보낸 시간이 더 길어. 그 시간만큼 그 애의 빈자리가 너무 잘 느껴져. 항상 내 주변 어딘가가 텅 비어있는 느낌이야.

우리 가족은 너희 엄마가 아직 너보다 어릴 때 지구를 떠나 여기로 왔단다. 사실, 나는 지구에 남아서 연구를 계속하고 싶은 마음도 있었어. 하지만 너희 엄마와 할아버지를 여기로 보내고 혼자 지구에 남아 있을 자신이 없었지. 그렇다고 내 고집으로 두 사람까지 서서히 죽어가는 지구에 남게 할 수 도 없었고. 그런 의미에서 그 애는, 금리는 정말 용기 있는 애지. 도망치는 것도 용기라고들 하지만, 도망치지 않는 것도 참 큰 용기가 필요한 일이야. 말하고 보니 당연한 얘기네.

내가 여기서 만났던 사람 중 한 명은, 여기가 우리의 새로운 낙원이 될 거라고 했었어. 하지만 나한텐 아무런 걱정 없이 너희 엄마, 할아버지, 그리고 그 애와 함께 살던 지구가 낙원이었던 것 같아. 아직 너한테 낙원이라는 말은 너무 어려울지도 모르겠구나. 못 알아들을 이야기만 계속해서 미안해.

그 애는 날 원망할까. 자길 버리고 떠난 친구라고 말이야... 그새 잠들었구나. 언제 잠들었을까. 잘 자렴 루카. 방금 그 말은 흘려들어.

6

-금리는 단 한 번도 단을 원망한 적 없었어요.

내 이야기가 끝나자 바다는 급히 입을 열었다.

-자신이 지구를 떠나지 않은 것에 후회 할 지언정, 늘 단의 선택을 이해하고 존중했어요. 금리는 그저 단을 한 번 더 만나고 싶어했고, 연구의 성공을 알리고 싶어했을 뿐 이에요.

정적이 찾아올 때마다 끊임없이 기계소리가 들렸다. 지금도, 아까도, 그때도.

-금리가 알리고 싶어했던 연구의 성공은, 우리가 찾고 있는 그 세포 샘플이죠?

바다는 눈을 감은 채 고개를 살짝 숙였다.

-맞아요. 나는 그 샘플을 지켜달라는 금리의 부탁을 받았고, 금리의, 내 친구의 마지막 소원을 이뤄주기 위해서 단에게 이 샘플의 완성을 가장 먼저 알려주고 싶었어요.

-그럼 나한테라도, 노아의 행방을 알려줘요,

-노아.

바다는 천천히 고개를 들고 나를 바라보며 작게 중얼거렸다.

-그게 우리가 붙인 샘플의 이름이에요.

그는 여전히 나를 바라봤다. 뭔가를 생각하는 것 같기도, 말이 막힌 것 같기도 했다.

-금리는 샘플을 루카라고 불렀어요.

루카, 내 이름이었다. 할머니가 지어주셨던 내 이름과 같은 이름이었다. 그리고 금리가 샘플에 붙인 이름, 단이 지구를 경험한 적 없던 손녀에게 붙인 이름.

-모든 생물의 공통 조상, 생물들의 가계도가 모이는 하나의 점. 생물 복원의 가장 기초가 되는 샘플이니까, 그에 걸맞는 이름을 붙

여주고 싶었다고 했어요. 그리고…

바다는 잠시 말을 멈췄다. 내가 시선을 피했던 것 같다. 그와 제대로 시선을 맞추자, 곧 다시 입을 열었다.

–그리고, 친구와 같이 정했던 이름이라고 했어요.

내 이름이 어딘가 낯설게 느껴졌다. 내 이름을 지어준 게 할머니셨다는 건 이미 알고 있는 사실이었지만, 어떻게 지어진 이름인 지 물으면 할머니는 매번 다른 이유를 말하셨다. 여섯 번쯤 물어보다가 듣기를 포기했던 이유를 이제야 들은 기분이었다.

–내 이름도 할머니가, 단이 지은 이름이에요.

숨을 크게 들이마셨다가 내뱉었다. 바다는 여전히, 아까와 같은 자세로 가만히 나를 바라보고 있었다.

–나는 할머니의 이야기를 듣고 이곳의 연구원이 됐고, 이 프로젝트에 참여했어요. 할머니가 할머니의 친구와 함께 했던 그 일과 같은 일을 하고 있죠.

말이 매끄럽게 나오지 않는 느낌이 들었다. 헛기침을 몇 번 하고, 다시 한 번 큰 숨을 쉬었다.

–나는 할머니의 꿈을, 금리와 단의 꿈을 이뤄주고 싶어요. 그러

니까... 루카의 행방을 알려주세요.

7

바다는 여느 때보다 긴 침묵을 유지했다. 나는 녹음기의 전원버튼을 다시 한 번 눌렀다. 빨간 빛이 곧 꺼지자 탁하고 검붉은 램프가 눈에 들어왔다. 하지만 빨간 잔상은 조금 남아있었다. 눈을 세게 감았다 뜨고 다시 바다를 바라봤다. 바다는 나를 바라보진 않았지만, 그렇다고 바닥을 바라보지도 않았다. 할머니의 목소리가 들리는 것 같았다. 노아와 루카. 금리와 단, 나와 바다. 천천히 생각을 정리했다. 시간은 계속 흘러갔고, 바다는 여전히 아무 말이 없었다. 그에게 다시 말을 건네려던 참이었다.

-루카는 내게 있어요.

나는 자세를 고쳐 앉고 똑바로 바다를 응시했다.

-루카는 내 안에 있는 저장고에 있어요. 내 전원을 끄면 열 수 있을 거에요. 루카는 손상되지 않았으니까 걱정하지 않아도 되요.

전원을 끄는 순간 바다는 두 번 다시 움직일 수 없을 지도 모른다. 그럴지도 모르는 게 아니라, 정말 그렇게 될 것 같았다.

-난 괜찮아요. 내 일은 끝났어요.

내 표정이 많이 안 좋았을까. 바다는 내게 무슨 걱정을 하는 지 눈치 챘다는 듯 웃어보였다.

-그거 알아요? 바다는 지구 상의 생명이 생겨난 장소라는 가설이 있어요. 당신이 있어서 루카가 이곳에 왔고, 원래 지구에 살던, 이젠 없어져버린 많은 생물들이 루카를 통해 복원 될 거에요.

바다는 더 이상 내 말에 대답하지 않았다. 자연스럽게 깜빡이던 눈도 서서히 움직임을 멈췄다. 웃고 있는 바다의 얼굴이 후련해보였다.

TO. DAN

할머니. 처음으로 메시지를 보내네요. 할머니가 읽으실 진 모르겠지만, 꼭 드리고 싶은 말씀이 있어서 이렇게라도 남겨봐요.

바다를 만났어요. 할머니가 지구를 떠난 뒤부터, 금리의 곁을 쭉 지키고 있던 휴머노이드에요. 바다에게 할머니한텐 못 들어본 지구의, 금리의 이야기를 들었어요. 그리고... 루카에 대해서도요. 루카는 이제 여기에 있어요. 바다가 루카를 지켜서 여기로 가져와줬어요. 곧 정해둔 우선순위에 맞춰서 복원도 시작 될 예정이에요.

솔직히, '지구의 생물을 복원한다'는 일이 여기 사람들에겐 큰 의미를 가진 일이잖아요? 그래서 원래도 부담감이 좀 있었는데, 그런데 이젠 할머니와 금리가 하던 일을 끝마쳐야한다는 부담감까지 생겼어요. 이젠 중간에 그만두지도 못해요. 누구랑 약속을 해버렸거든요. (사실 그만 둘 마음은 하나도 없어요.)

할머니. 지구에서 봬요. 파란 하늘이랑 바다가 있고, 새 소리랑 풀소리, 벌레 소리가 가득한 지구에서요.

할머니의 루카가.

인터뷰

-Noah-

Q : 먼저 이 글을 통해서 전해주고 싶었던 이야기는 어떤 이야기였나요?

A : 처음에 원래 글을 쓸 때는 아무것도 없는 지구, 그러니까 디스토피아 분위기의 지구에 있던 로봇과 지구를 떠나서 살던 인간이 만나서 하는 이야기 그게 좀 위주였어요. 그런데 스토리 진행이 어려워지기도 하고 조금 내용이 단순하다 딱히 특별한 점이 없다, 이런 피드백을 받고 나서 지금처럼 수정을 했어요. 그래서 아주 오래전에 헤어졌던 친구랑 두 친구의 관계라고 해야 될까요, 그런 걸 연

결해주는 대상이 주인공과 그 주인공의 할머니와 금리라는 사람이 만들었던 로봇, 그걸 가지고 있는 둘이 이야기를 하면서 그 주인공의 할머니와 금이 두 사람의 이야기를 하는 게 제 소설 이야기 주요 내용이에요.

Q : 그렇구나. 사실 그점도 궁금했어요. 이렇게 디스토피아적 상황을 설정했다고 했는데, 그렇게 설정한 이유에 대해서도 혹시 이야기해 줄 수 있을까요?

A : 음, 디스토피아, 그러니까 예전부터 사실 sf를 썼었어요. 그래서 그쪽 위주로 생각을 해보다가 미래의 시대에서 지구에 남아있던 사람과 떠나온 사람 이야기를 하고 싶었어요. 그러면서 지구를 떠날 수밖에 없는 상황을 만들고 싶었고. 그래서 그렇게 했던 것 같아요. 요즘 환경에 대해서도 이야기가 되게 많아서 관심도 갔고요.

Q : 음 원래 sf에 관심이 많으셨고. 이렇게 환경적인 이야기를 좀 더 하고 싶어서 이렇게 이야기를 하셨구나.

A : 네, 그거는 그 배경에 해당해요. 주요 내용에서는 환경 내용이 많이 없기는 하지만요.

Q : 그래요. 다음으로 넘어갈게요. 이름도 궁금했어요. 이름을 정하는 방식이 있을까요? 루카라는 이름, 금리라는 이름, 바다라는 이름. 이런 이름들은 어떻게 따오셨는지.

A : 우선 금리랑 할머니 이름이 단이거든요. 그 이름 보면 가나다라가 하나씩 들어가 있어요. 일부러 그냥 그렇게 맞춘 거였고. 루카는 이제 제가 플루카 쓸 때도 이걸 썼었는데 모든 생물의 공통 조상을 루카라고 한 대요. 생명이 시작되는 거죠. 생명의 시작을 담아내는 이름을 짓고 싶었고. 주인공 할머니랑 금리가 만든 게 루카니까. 주인공도 그 루카랑 연결되는 이름이 있었으면 좋겠다 해서 루카라고 이름을 지었어요. 바다는 루카가 처음 나타난 곳이 바다라는 설이 많아서요. 그래서 역할을 보관하고 있는 로봇이니까 알아볼 수 있어요.

Q : 다 연결되네요. 궁금했어요. 이렇게 이름을 정하신 이렇게 이유가 있을까 그것도 궁금했었고. 한편으로 여기 남은 사람이 있고 남지 않은 사람이 있잖아요. 그래서 민주 님은 만약에 여기 등장인물이라면 어떻게 행동하셨을지. 다 저마다의 이유로 이렇게 지구에 남아 있다고 했었는데. 민주 씨는 어떻게 할 건지도 좀 궁금해요.

A : 떠날 것 같아요.

Q : 아, 왜 그렇게 생각하셨어요?

A : 솔직히 약간 남아서 죽겠다라고 하는 게. 솔직히 남는 행위 자체가 언제 죽을지 모르는 상태로 사는 거 잖아요. 저는 제가 좋아하는 사람들이랑도 같이 있고 싶고 죽고 싶지 않아서요. 그런 약간 무서운 마음이 먼저 생각날 것 같아요. 지구에 남아 있고 싶지 않다

는 생각이 들어요.

Q : 혹시 그렇다면 이제 이 글을 읽는 독자한테 혹시 해주고 싶은 말이 있을까요? 이제 이 글을 다 읽은 독자한테.

A : 사실 이제 글을 쓸 때마다 하는 생각이, 제가 글에 딱히 독자에게 이런 얘기를 하겠다고 쓴다기보다는 그냥 이런 얘기를 하고 싶다 해서 쓰는 거라서 명확하게 메시지를 생각인 게 있긴 한데. 그냥 금리와 단이 이야기 그냥 그걸 좀 집중해서 봐주셨으면 좋겠어요.

Q : 담백하고 솔직해서 너무 좋은 거 같아요. 혹시 또 제가 사실 읽으면서 궁금했던 질문들은 이런 거였는데 혹시 또 해주고 싶은 이야기 있을까요? 뭔가 이 이야기를 들으면 더 이 루카를 더 잘 이해할 수 있을 것 같은데요. 사실 지금 쓴 거에서 조금 더 수정하고 싶은 부분 있을까요?

A : 루카가 왜 단이처럼 이 직업을 선택을 했는지. 루카에게는 그 노아라는 샘플이 어떻게 다가왔는지 그런 걸 조금 더 쓰이고 싶긴 해요. 그리고 노아가 제목이기도 하고 행성도 새로 붙인 듯한 이름이기도 한데. 그것도 노아의 방주에서 착안했어요.

Q : 뭔가 이렇게 파면 팔수록 더 이런 의미였구나 하고 이렇게 알게 되는 그런 게 많은 것 같아요.

1m

유골을 매장하는 최소 깊이

김머피

송사

1

액정 위로 바쁘게 움직이는 손가락 끝이 붉고, 무슨 연락을 받았는지 곱게 휘는 눈꼬리가 못내 사랑스럽다. 대화가 끝나자마자 핸드폰을 뒤집고 습관적으로 손을 잡아오는 것도 퍽 다정하다. 눈이 마주칠 때마다 눈매를 따라 하는 것만으로도, 너는 내 과묵함을 탓하지 않는다. 장기간 연애로 표현이 조금 인색해졌을지언정, 오랫동안 배려나 습관이라는 이름으로 켜켜이 쌓아 온 애정은 오히려 더욱 선명해지고 깊어졌다.

함께 결혼을 바라볼만한 여자라고 생각한다. 감정적인 이유가 아니라도, 둘 모두 안정적인 직장을 가진 결혼 적령기의 커플이라는 점에서 지인들 사이에서도 슬슬 결혼 이야기가 나왔다. 남의 사생활에 쓸데없이 관심을 가진다고 생 각하면서도, 사랑의 종착지가 결혼도 아닐뿐더러, 엄청나고 대단한 사랑만이 결혼에 도달할 수 있는 것도 아니라는 걸 고려하면 그 가벼움이 이해된다.

그러니 요새 들어 여자친구가 은근한 목소리로 내게 결혼을 언급하는 것도 이해한다. 아니나 다를까, 평소라면 가만히 손을 잡은 채로 테라스 넘어 풍경을 감상하다 넌지시 말을 건넸을 그녀는 마주 잡은 손에 눈을 고정한 채 입술을 짓씹었다. 손을 잡고 있지 않았다면 손톱을 물어뜯었겠지. 그 작은 움직임이 불편한 이야기를 꺼내기 전 준비운동과 같은 행동이란 걸 모르지 않는다.

“나 어제 청첩장 받았어. 봄이라 그런가, 결혼 소식이 많네. 오빠도 결혼할 나이인데 친구 중에 그런 얘기 없어?”

조심스레 맞춰오는 눈을 풍경이라도 감상하는 양 애써 피했다. 이미 정해진 답이 있다는 걸, 그게 누구에게 상처가 될지 모르는 사람은 여기에 없다. 나는 다만 그 날카롭게 벼려진 칼날을 조금이나마 무뎌지게 할 말을 고심할 뿐이다.

무언가 말하려는 순간 핸드폰에서 진동이 울렸다. 액정 위로 형의 이름이 홀로 반짝인다. 가족과 그리 살갑게 연락하는 편은 아니었기에 평소라면 음소거로 조용히 넘겼겠지만, 지금은 불편한 주제를 피하는 게 우선이었던지라 여자친구에게 눈짓하고 전화를 받았다.

형의 목소리는 잔뜩 가라앉아 있었다. 설마, 싶었으나 누가 봐도 이제 막 울음을 그친 듯 젖은 목소리였다. 여자친구가 옆에서 걱정스레 눈길을 던지는 것을 모르지 않았지만, 대답할 겨를이 없었다. 통화가 끝나고 다급히 외투를 챙겨입고 짐을 정리하기 시작했다.

"무슨 일이야? 급한 일이야?"
"아버지 일이야."

끝내 아버지가 돌아가셨다.

2

예정된 것은 극적이지 않다. 그런 면에서 죽음도 대개 극적이지 않다. 더욱이 고인이 폐암 말기의 시한부였다면 더 더욱. 호상과 악상에 대해 논해보자면, 이 자리의 죽음은 호상도 아니고, 악상은 더더욱 아니다. 채 못 산 세월을 아쉬워하기에도 꽤 지긋한 나이 아니었던가. 따라서 울결을 숨기며 호탕하게 웃는 자는커녕 무관심을 감추려 울상 짓는 자도 없다. 완장이 왼쪽이냐 오른쪽이냐 오가는 허술한 설전마저 전형적이지 않아 도리어 지극히 현실적이다. 역시 장례식장이 맛집이라며 생각 없이 큰소리치는 아무개의 오물오물 우물거림 아래 수육 기름기가 반드럽다. 누군가는 이미 주정인 줄도 모르고 형님네 장남을 붙잡아 꼰대 노릇 하기 바쁘다. 눈물 삼키듯 술을 삼키는 자가 몇 있으 나 존재감이 옅어 오히려 차갑다.

바닥이 유독 시리다. 보일러를 틀긴 했으나 바닥이 너무 넓어 어느 곳은 뜨겁고 어느 곳은 얼음장이다. 그 위를 밟고 선 발바닥은 더 차다. 늦둥이라 상주는 못 되지만, 그래도 아들이라고 집안 어른들이 올 때마다 앉지도 못하고 부산 하게 움직인 것이 고질적인 냉증을 부추겼을 테다. 때때로 극단적인 것은 정반대의 양상으로 나타난다. 시간이 지날 수록 차가운 곳이 뜨겁게 느껴졌다. 조금만 더 있으면 오히려 감각이 무뎌질 것도 같았다.

"너 많이 추워 보인다."
"누나."
"밥 푸는 쪽은 수증기 때문에 따뜻하던데 가서 몸 좀 녹여."
"괜찮아."

괜찮다니까? 내일 일 빼면 돼. 차는 다음 차 타면 되고. 됐다. 내일 밤이 고비랬으니 내일 일 끝나고 와라.

괜찮아, 하는 제 목소리에 지나간 통화가 떠올랐다. 그때 그 싱거운 목소리 한 자락 붙잡아 일찍 오는 게 나았을지도 모른다. 슬퍼해야 할 죽음은 불편하다. 그 순간을 오롯이 마주하는 것은 차라리 부담이다. 전날 밤을 새우고 갑작스레 아침 운동을 나간 뒤 늑장을 부리며 씻은 것은 그런 이유에서였을지도 모른다. 애초에 일을 뺄 거였다면 일이 바쁘다며 부담을 주지도 않았을 것이다. 하지만 마주하지 않음을 들키는 것은 수치다. 어차피 제시간에 차를 탔어도 만나진 못했을 텐데. 공연히 긁어 부스럼을 만든 셈이다. 그토록 갑작스레 명을 달리했다.

만약 모두가 마음을 준비하던 대로 다음 날 새벽 눈을 감았어도, 한달음에 내달려 그 앙상한 손을 붙잡지는 못했을 것이다. 전해 들은 비보와 밥벌이의 번거로움 사이 저울을 매다는 나는, 그 문을 열어젖힐 수도 없었을 것이며 발치에서 무너져 눈물 한 방울 흘릴 자신도 없었다. 그게 자식의 도리라면, 당신이 좋은 부모가 되지 못했던 것처럼 나도 지극한 효자가 될 자신이 없었다.

수백 수천 번 그리다 보면 사실처럼 느껴지는 것들이 있다. 나는 그 낯선 공기가 무엇인지 알았다. 당신도 내 손을 마주 잡고 죽어가면서까지 장례비용을 생각할 사람이지 않았나. 그러나 무던할 수조차 없었을 거란 걸 안다. 딱 그 정도의, 여느때와 같은 미지근함. 지긋지긋한 체온. 나는 아직도 당신과 내 감정 그 무엇 하나 제대로 알지 못한다. 항상 답은 없었지만, 기어코 당신은 정답을 찾아야 하는지조차 알려주지 않고 무책임하게 떠나갔다. 이제 와 뒤늦게 본인의 고비를 언급하던 그 목소리가, 기억만큼 싱겁지 않았을지도 모른다고 생각해 볼 뿐이다.

“마음은 괜찮고?”
“이제 와 안 괜찮을 게 있나.”

"엄마는 안 오려나. 그래도 오늘 같은 날에."
"엄마가 이제 와 왜 와."

걱정스러운 눈빛이 유독 따갑게 느껴졌다.

내 모정은 후천적이란다. 10년쯤 전, 담담히 이야기의 포문을 열었던 그 말을 잊지 못한다. 이어지던 이야기가 무엇을 자극했는지도, 그리고 끝내 내 안에서 무엇을 죽였는지도. 비관하는 와중에도 내심 바라는 내가 우스울 정도로.

어렸을 때부터 유독 몸살을 자주 앓았다. 그때마다 살갗에 닿아오는 모든 것들이 무딘 바늘로 뒤덮인 채 나를 찌르는 것만 같은 감각을 느꼈다. 피부가 옷감에 쓸리던 감각을 기억한다. 그것은 정신적 고통과 크게 다르지 않았다. 슬프거나, 부담스럽거나, 그 감정이 버틸 수 없을 정도일 때마다, 가슴이 송곳이나 바늘 따위에 찔리는 기분이었다. 심장이 죄이는 느낌이기도 했다. 아, 이 얼마나 흔해빠진 표현인지. 다만 밋밋한 문장을 비웃다가도 그 주체가 되면 수많은 문학작품 속 수두룩한 표현들이 달리 표현할 방도가 그밖에 없었기 때문임을 비로소 깨닫게 된다. 그리곤 새롭게 알게 된다. 인상적이지 않은 한 줄이 깨달음이 되는 순간이 그토록 참담함을.

왜, 올 수도 있지 하며 누나는 말을 흐렸다. 처음 장례식장에 도착했을 때 형도 엄마를 언급하더니, 대체 오늘 같은 날이 무어라고. 어릴 때처럼 막연히 엄마가 다시 돌아올 거라고 생각하는 건

너무 순진한 생각이다. 엄마는 오지 않을 것이다.

3

추적추적 갑자기 비가 내리기 시작했다. 빗방울은 땅바닥에서 튀어 오르며 바지 밑단에 흙탕물을 튀겼다. 미처 우산도 챙기지 못했기에, 탁한 빗물이 땀과 뒤섞여 얼굴 위에서 엉망으로 번져갔다. 땅에서는 이끼나 곰팡이 따위의 비린내가 올라왔다. 그 냄새는 온종일 옷에 베인 냄새와 섞여, 마치 피비린내처럼 폐부를 깊숙이 파고들었다.

축축해진 땅 때문에 일이 잘 안 풀리는지 둔폄하던 인부들 사이에서 낮게 불평이 터져 나왔으나 타닥타닥 묘비를 두들기는 빗소리에 잘 들리지 않았다. 의미 없이 손바닥으로 하늘을 가려보며 인부들을 지켜보기를 한참, 관습인지 아량인지 매장이 끝나갈 때쯤 인부 하나가 수족들에게 삽을 건넸다. 첫째인 오빠가 가장 먼저 나서서 흙을 덮었다. 그 때쯤 어렸을 때 본 듯도 한 노인 한 명이 나타나 혀를 차며 이것저것 에구, 하고 운을 띄웠다.

"놈팽이 하나는 우중의 묘지에서 궐련이나 피워대고, 지집들은 울지도 않으니, 쯧."

그 이후로 노인은 아무런 말이 없었으나, 다음으로 삽을 넘겨받아 흙을 푸던 누나는 왈칵 눈물을 쏟았다. 타이밍이 절묘하긴 했으나, 당연히 슬프기야 하다 했으니 아마도 진심이겠지. 의외였던 건 눈물이라도 참는 듯 콧잔등을 찡그 리는 형이었다.

서른 살이 넘어갈 때쯤부터 누나는 고향으로 돌아가 거동이 불편한 아버지를 챙겼다. 엄마도 불쌍하지만, 아빠도 불쌍하지 않냐며, 누나는 어색하게 웃다가도 알 수 없는 표정을 지었다. 형은 그 소식을 듣고 한참을 아무 말도 하지 않다가, 그래, 아버지는 적어도 가족을 지켜냈지, 하고 한숨 쉬듯 말했다.

머리로는 결국 모두를 버리고 떠난 엄마도 가해자란 걸 알고 있었지만, 같은 피해자라는 동질감에 연민과 그리움을 완전히 버릴 수는 없었다. 그래서 두 사람의 말에 공감할 수 없었다. 젖도 다 떼지 못한 누나가 대문 앞에 버려져 있고 엄마가 집을 나가 있었다던 7년, 엄마는 어느 날 갑자기 돌아왔고, 날 낳았다고 했다. 둘은 엄마가 돌아올 줄 몰랐다며, 없는 셈 치고 그 세월을 살았다고 했다. 엄마를 잊고 아빠와 함께 살았다던 그 세월이 내겐 없어서일까, 나는 그들 사이의 유대가 기이하게만 느껴졌다.

나는 인부가 또 다른 사람을 찾기 전에 우산을 찾으러 가겠다며 뒤로 빠졌다. 갑자기 내린 비니 우산이야 당연히 없 었고, 애초에 온몸이 물초였지만 달리 나를 막는 사람은 없었다.

고향으로 내려오는 길에 급하게 새로 산 검은 구두는 물론이고 그 위로 옷에도 진흙이 이리저리 튀어서 엉망이었다. 여전히 눈물은 나오지 않았고, 하늘이 대신 눈물 흘려주는 것 같다는 감상적인 생각도 들지 않았다. 몸은 계속 비로 젖어갔고, 마치 내리는 것이 빗줄기가 아닌 피곤이 녹아내린 무언가라도 된 것처럼 피로만 쌓여갔다.

곧 절차가 다 끝나면 친척들이 내려올 거고, 버스를 타고 다시 장례식장으로 가 장례 비용을 내고, 와주셔서 감사하다는 뜻으로 예약해 둔 식당에서 다 같이 식사할 테다. 그 모든 과정이 상상만으로도 나를 지치게 했다. 슬퍼할 시간도 없이 다들 무엇이 그리 슬프고, 또 무엇이 그렇게나 감사한지. 나 혼자 유리되어 떠도는 것만 같았다.

쭈그려 앉아 줄담배 세 개비를 다 피워갈 때쯤 머리 위로 그림자가 졌다.

"오랜만이구나."

그건, 10년도 훨씬 더 전에 들은 목소리였지만, 절대 잊을 수 없는 목소리였다.

"엄마."
"할 말이야 없진 않다만, 느이 아빠 얼굴 보고 나서 이야기하자."

엄마는 다리를 절었다. 다리를 절며 힘겹게 경사진 언덕길을 올랐다. 그건 내가 10년 전 엄마를 잡을 수 없는 이유였고, 나는 원해서 낳은 아이가 아니었다며, 족쇄 같았다던 내게 한을 토해내던 엄마에게 원망 한 마디 내뱉을 수 없었 던 이유였다.

아빠는 잔인하고 폭력적인 사람이었지만 용기는 없었다. 아빠는 지독히 이기적이어서 자신의 모든 행동이 옳다고 생각했고, 자신이 생각하기에도 옳지 않은, 직관적이고 선명한 육체적 폭력은 행하지 않았다. 이따금 물건을 던지거나 무언가를 휘두르긴 했지만, 대개 애먼 곳을 조준하곤 했었다. 하지만 인간을 완벽하지 않다. 그 조준에 딱 한 번 실수가 있었던 날, 엄마는 나를 살리고 나리를 잃었다. 엄마는 눈물을 뚝뚝 흘리며 나를 감싸 안고 달래줬었다. 다리 한 짝으로 나를 살렸으니 자기는 괜찮다며. 또 한 번 적립됐을 원망을 꾹꾹 눌러 담았을 테니, 그런 순간이 내 나이만큼 내내 늘었을 테니, 나 또한 엄마가 떠나가는 날 하고 싶던 모든 말들을 눌러 담았다.

멀어지는 엄마의 등이 점점 벌어지는 거리에도 불구하고 작아지지 않는 느낌이었다. 언덕을 넘어 엄마의 모습이 흐릿해질 때까지, 그 잔상과 목소리는 오래도록 내 곁에 남아있었다.

4

찝찝한 마음으로 손에 들어있는 쪽지를 바라보았다. 차마 꺼내 볼 수도 없고, 버릴 수도 없어서 쪽지 모양으로 접힌 그대로 외투 주머니에 한참을 넣어뒀었다. 평생 꺼낼 일이 없길 바랐다. 결혼할 때 부모님 중 한 분이라도 앉아계셔야 하지 않겠냐며, 당장 할 결혼이 아니더라도 미리서부터 준비할 필요가 있다던 여자친구의 말에 동감하는 건 아니었지만, 결혼이라도 할 일이 있으면 부르라던 말이 귓가에 맴돌기야 했었다.

잘 얘기하고 오라는 여자친구의 카톡에 대충 이모티콘으로 답장을 보내고 차에서 내렸다. 대학생 때나 되어서야 벗어난 가난으로 10년 가까이 찾아오지 않은 동네였지만, 아직까진 이 동네에서 살지 않은 기간보다 살았던 기간이 더 길다. 차가 진입할 수 없을 정도로 이 좁은 골목마저 익숙해서, 중간부터는 차에서 내려 걸어가야 할 것도 어느 정도 예상하긴 했었다.

종종 낙후된 지역의 시간은 느리게 흘러간다. 대도시의 유행이 몇 년이나 늦게 도착할 때도 있고, 1년 동안 한 자리에 가게 여럿이 드나들기도 하는 도시와 달리 가게 하나가 진득하게 한 자리에 머물곤 한다. 아니나 다를까 걷다 보니 군데군데 익숙한 가게들이 눈에 띄었다.

어릴 때 추억이 떠오르며 반갑기도 잠시, 불편한 진실을 눈치챌 때까지는 얼마 걸리지 않았다. 아버지는 종종 집에만 틀어박혀 있는 나를 데리고 해장하러 가곤 했었다. 아버지가 데리고 가던 식당은 대개 동네 사람들만 아는 맛집이었다. 대학에 합격해 지역을 옮기기 전까지 그랬으니, 남들 눈에는 꽤 사이좋은 부자로 보였을지도 모른다. 밖으로 나가는 걸 좋아하지 않았던 내게 누군가 집 주변에 뭐가 있냐 물으면, 끄집어낼 수 있는 건물들 모두 그때 그곳들 에서 기인한다.

방심할 새도 없이 엄마를 찾기 위해 그 건물 사이사이를 샅샅이 살피던 모습이 불쑥 떠오른다. 여느 때처럼 고성이 오가던 것과, 차마 때려 맞추지는 못하고 엄마의 발치에만 휘둘러지던 혁대가 아직도 선연하다. 아이에게는 엄마가 필요하다며, 왜 나를 이리 힘들게 하냐며, 왜 우리를 버렸냐며. 가해자 주제에 눈물을 흘리는 아버지의 얼굴은, 내가 그를 닮은 게 맞는 것일까 싶을 정도로 나를 닮아있었다.

사소한 불씨 하나가 순식간에 크게 번져 모든 것을 불태우듯, 괴로운 기억은 너무나 쉽게 사람을 잠식한다. 하지만 아버지 생각은 여기까지면 됐다. 이미 돌아가신 분이었다. 애써 떠오르는 생각들을 눌러 담으며 걸음을 재촉했다. 억지로라도 앞으로 몇 번 더 만날 거고, 첫만남이니 대충 몇마디만 하고 오면 될 것이다. 굳이 따로 만난 것이 수고스럽다 느껴질 정도로 짧은 대화일 것이다. 일종의 체면치레인 셈이다.

"오랜만이구나."
"네, 오랜만이네요."
"우리 용건만 빨리빨리 얘기하고 끝내자꾸나. 얘기가 길어지면 너나 나나 불편하지 않겠니."
"그런 것치고 연락처 밑에 주소도 함께 적어 놓으셨던데."
"네가 날 찾을 일이야 결혼밖에 없을 거고, 청첩장을 보낼 거면 거기로 보낸 뜻이었지."

어쩐지 날 선 대화에 잠시 대화가 멈췄다. 나도 처음엔 그러려고 했다. 연락처로 안부 인사 몇 번 보내다가 넌지시 이야기 한 번 꺼내고 주소로 청첩장만 보내면 되겠다고, 그 주소가 너무 익숙하단 걸 깨닫기 전까지는 그렇게 생각 했었다.

그 집은 주거 목적으로 지어진 것도 아닌 낡디낡고 비좁기까지 1층짜리 건물을 사서 주택으로 개조한 집이었다. 나는 그 집에서 태어나 가정불화와 가정폭력과 관련한 모든 기억을 그곳에 심어 놓았다. 나는 아직도 그 어린 시절에서 채 다 벗어나지 못해 때때로 그 시간을 다시 살아가며, 지금까지도 과거에서 희망을 찾는다. 나는 여전히 마음으로나마 그 집에서 살고 있다. 좋은 기억보다 나쁜 기억이 더 많은 공간이지만, 인간이란 평생이란 단어에 많은 의미를 부여하는 법이다.

다른 가족들과 내 생각이 같지는 않겠지만, 그 깊이만큼은 크게 다르지 않을 거로 생각한다. 그 집은 쫓겨나지 않아도 되는, 온전히 우리 것인 첫 집이기도 했으니까. 특히 수중의 돈이란 돈은 다

끌어모아 직접 집을 산 아버지 마음 이래야 더더욱 깊을 것이다.

“그 집은 아버지가 주신 건가요?”

“그럼. 느이 아버지가 그 정도는 해줘야지. 본인이 한 짓이 있는데. 삐까뻔쩍한 새 집도 아니고, 고작 본인이 몇 십년 동안이나 살다 간 낡은 집 하나 정도는 나도 받을 자격 있지 않겠니?”

굳이 그 말에 대답하진 않았다. 엄마를 다시 데려오기 위해 엄마 뒤처리를 하며 아버지가 돈을 쓰던 건 흔한 일이었고, 그건 우리 가난의 원인 중 하나기도 했다. 하지만 그건 아버지에게 희생이라기보다는 육아를 하고, 밥도 차려 줄 편한 사람을 데려올 값어치를 치르는 행위였을 것으로 생각했다. 술에 잔뜩 취해 악어의 눈물을 흘릴 때마다 주절대는 말이 마치 사실인 것처럼, 정말 사랑하기라도 했다는 건지. 이제 와선 알 수 없는 일이다.

나는 자켓 주머니에서 준비해 둔 청첩장을 꺼내 테이블 위에 올려놨다. 우리 사이엔 정적이 흘렀고, 둘 다 굳이 먼저 이야기를 꺼내려 하지 않았다. 나는 누나와 형의 연락처를 미리 적어온 종이를 책상 위로 꺼냈다. 쪽지로 준 데에는 나이가 꽤 든 엄마에게는 그게 더 편해서일지도 모른다는 생각에 적어온 종이였다. 엄마는 대충 옷에 달린 주머니에 종이를 꾸겨 넣고 자리에서 일어날 채비를 시작했다.

“누나랑 형 연락처예요. 혹시나 해서요. 언제 한 번 다 같이 보게 미리 연락만주세요. 오기 불편하면, 데리러 오고 요.”

"그래. 알겠다. 가긴 알아서 가마."

따로 인사는 오가지 않았다. 엄마가 일어났고, 나도 바로 나가려 했으나 차마 자리에서 움직일 수 없었다. 엄마는 옆 의자에 의지해 겨우 자리에서 일어났다. 엄마는 다리를 절었다. 엄마는, 다리를, 절었다. 그 언덕에서, 엄마는. 비가 오던 날 밤, 그날부터 엄마는.

"죄송해요."

엄마가 날 감싸고 울던 그날, 엄마가 떠나갔던 그날, 아무 말도 못 했어도 이 말은 해야만 했었을지도 모른다. 때때로 보상이나 대가처럼 여겨져 어물쩍 넘기고 넘겨지는 것들이 있다. 대표적으로 잘못이 그렇다. 하지만 상대의 잘못은 상대의 잘못이되, 내 잘못은 내 잘못이다. 내가 피해자라도 말이다. 그것이 죄의 부당함이자 공평함이다. 죄송하단 말 한마디에 목에 걸려있던 수많은 가시 중 하나가 겨우 빠져나온 느낌이 들었다. 약간의 여유가 생긴 틈으로 예민한 고통이 스몄지만, 이렇게라도 하나씩 가시를 빼내야만 했다.

"왼다리 하나면 싸게 먹혔지."

엄마는 그 말을 남기고 자리를 떠났다. 맞은편을 물끄러미 바라보다 나도 자리에서 일어났다. 지금 당장 모든 가시를 뺄 수는 없지만, 지금 당장 하나 뽑을 수 있는 가시가 무언지는 알았다.

5

성묘하러 갈 때 무얼 챙겨가야하는지 잘 모른다. 분명 어떤 관습이 있겠다만은, 스스로 챙겨가야할 때 어떻게 해야 할지 가르쳐 줄 사람을 보러 가는 길이라 물어볼 수도 없었다. 스크롤바가 겨우 손톱 길이정도나 되는 긴 글을 찾아 읽을 성의도 없었다. 그나마 조금 아는 것이 살아생전 좋아하던 것이 참이슬 빨간 뚜껑이라는 것 정도밖에 없어서, 보고자란 것에 최대한 맞추어 일회용 그릇에 올릴 과일 몇 개, 전 몇 장을 시장에서 사서 챙기고 가까운 편의점에서 소주 한 병을 샀다. 명절 날 우르르 몰려 가는 성묘에는 이것저것 챙길 것이 많았던 것 같은데, 약식으로는 항상 이 정도였던 것 같다고 생각하면서도 도착할 즈음에야 뒤늦게 꽃도 몇 송이 샀던 것이 떠올랐다.

“아버지. 꽃은 못 챙겨왔습니다.”

그 말만 하고 술잔에 술을 담아 무덤 앞에 놓았다. 잠시 기다린 후 땅에 술을 뿌려 잔을 비웠다. 술을 뿌릴 때마다 당신을 떠올렸다. 아버지의 노성과 나를 따스하게 감싸주던 어머니의 품. 나를 빼앗아 차에 꾸겨 넣던 억센 손길과 움직임에 따라 팔을 타고 꿀렁이던 붉디붉은 그 핏줄. 어르고 달래다가도 금세 사나워지던 그 눈. 눈. 아버지의 눈과 어머니의 눈. 어쩌면 붉은 것은 내 눈이었을

지도 모른다.

가로등 탓인지 무엇 때문인지 빨간빛을 띠던 그 눈에 환한 눈이 덧씌워진다. 어느 날 밤, 이제 눈은 하얗기만 하고 빨간 것은 얼굴이다. 하늘에서 달을 따왔다며 광대를 올리던 그 얼굴. 술에 잔뜩 취한 아버지는 보름달 모양의 무드등을 콘센트에 연결하며 낄낄댔다. 어둠을 가르고 방 안을 둥글게 메우던 하얀 빛은, 언젠가 보았던 그 달빛처럼 아름답지도 않았고, 자연스레 은은한 빛을 뿜어내기보다는 눈이 아플 정도로 반짝였지만, 아버지의 얼굴 그늘을 조금이나마 걷어낸 것은 똑같았다.

다음 날 당신은 평소처럼, 밥 차려 줄 사람이 없는 것에 불평하며 본인 손으로 내가 먹을 계란 후라이를 요리했다. 내가 젓가락을 들면 먹기도 전에 맛있냐며 퉁명스러운 목소리로 물었다. 어딘 염전이고 어딘 밍숭맹숭하던 계란 후라이. 제 발로 주방에 들어서느니 차라리 밥을 굶고 마는 아버지가 한 것이니 당연하다면 당연했다. 그건 가부장의 상징이자 엄마의 고초였고, 동시에 나를 향한 다정이었다. 비극성을 심화할수록, 같이 깊어지는 무언가가 있었다. 나는 아직 그것이 무엇인지 알면서도 차마 입에 담을 수 없다.

"아버지."

어린 시절 그 집에 수많은 기억을 묻어두었듯, 이곳에도 많은 기억을 묻을 것이다. 찾아올 때마다 두어 가지씩 놓고 갈 것이다. 그러다 두고 갈 기억이 없어지면, 오랫동안 찾아오지 않을 것이다.

하지만 그 집이 평생이 되었듯, 이곳도 평생 내가 머물 곳이 될 거란 걸 안다.

아버지, 당신 죽음 하나로 모든 것이 정리되진 않는다. 당신은 다정과 증오를 모두 지녔고, 엄마도 마찬가지다. 나는 당신이 밉고, 안쓰럽다. 하지만 언젠가 어느 쪽으로든 결론이 날 것이다. 결말이 무엇이든, 나는 그제야 사랑에 관해 정의할 수 있게 될 것이다.

"저도 이제 결혼을 생각해보려 합니다."

END.

굿모닝 우유 900ml

잃어버린 줄도 모르고 있었던 물건이 어느 날 갑자기 홀연히 그 모습을 드러내듯, 최초의 기억은 사소한 계기로 갑작스레 돋아난다. 어두운 밤거리, 이해할 수 없는 감정으로 주름진 아빠의 얼굴, 단호한 목소리, 기억한 적 없는 품. 순간 나는 그때처럼 어린아이가 되어 그 무엇도 이해할 수 없게 되지만, 당시 느낀 감정만은 더욱 선명해진다. 그 모든 것들이 머리를 배회하다 목으로 넘어올 때쯤이면, 가슴에서 두 번째 기억을 끄집어내어 머리로 올리곤 했다. 쏟아지는 햇살, 어렴풋한 엄마의 얼굴, 선생님의 다급한 손길, 내 손에 데이던 야쿠르트. 바쁜 아침 엄마는 항상 한 손에는 야쿠르트를, 다른 한 손에는 어린이집 선생님의 손을 쥐어주었다. 어느 날은 비피더스, 언제는 요플레, 또 다시 어느 날에는 200ml짜리 흰 우유. 스쿨버스에 올라 다리를 흔들며 유제품을 먹는 것이 어린 날

아침의 일상이었다. 하지만 어린날의 기억이라 불완전하기는 마찬가지인지라, 기억이 더 선명한만큼 감정은 흐릿했다. 더욱이 처음은 언제나 강력한 의미를 지녀 완전히 없어지지 않고, 선명한 기억에 감정을 더할 뿐이었다.

기억과 뒤섞인 감정은 확정짓기 어려운 무언가가 된다. 그러면 어릴 때부터 땅을 보고 걸으며 깊은 생각에 빠지길 좋아하던 나는, 황금빛인지 구릿빛인지 알 수 없는 그 기억에 풍덩 빠지게 된다. 이제 나는 어느정도 자라 혼자 씩씩하게 등교할 수 있는 나이가 된다. 그때쯤부터 우리 집에 우유가 배달되기 시작했다. 일주일에 세 번, 1회 당 1L짜리 하나, 공휴일이 끼면 한 번에 두 세 개씩. 나는 욕심스레 혼자서 그걸 다 마셨고, 그것도 모자라 학교에 가서도 남는 우유를 독차지해 1L씩은 마셨다. 좀 더 자라 친구들 모두가 우유보다 콜라가 익숙해졌을 나이가 됐을 때도, 몇몇 아이들이 선생님 몰래 수학여행에서 술을 마실 때쯤이 되어서도 나는 줄곧 우유를 좋아했다. 가족들은 이따금 우유 회사 사장이랑 결혼해야겠다고 농담했고, 나는 진지하게 고려해보곤 했다. 자연스럽게 집 안의 모든 우유는 내 것인양 취급받았다. 다른 아이들은 우유를 컵에 따라 마신다는 사실을 알게 된 것은 나중의 일이다.

오빠가 우유를 너 혼자 마시냐며 성을 낸 때는 우유컵의 존재를 알게 되기 조금 전이다. 당시 나에게 곽 채로 1L를 혼자 다 마신다는 것은 지구는 둥글다는 수준의 진리였기 때문에, 오빠의 말이 고깝기만 했다. 치기 어린 마음에 오빠의 착오를 언니가 바로잡아주길 바랐지만, 언니는 아무런 반응이 없었다. 언니는 누구에게나 공평하게 냉정하고 무관심한 사람이었지만, 틀린 사실을 그냥 지나치지 못하는 사람이었기 때문에 언니의 무관심은 내게 참 이상한 일이었다. 그리고 그건 언니와 살아온 햇수만큼 무겁게 내가 옳지 않을지도 모른다는 생각의 근거가 되었다. 나중에 안 사실에 따르면 지구는 사실 타원형에 더 가깝다. 그걸 알고나서도 한참동안 이기적이라고 비난하는 오빠의 목소리가 마음속인지 귓가인지 모를 곳에 맴돌던 때가 있었다.

그래서 나는 그 목소리를 없애기 위해 가족들에게 거짓말을 했다. 나 다이어트 해야 돼서 당분간 우유 안 먹을거야. 내심 기대한 건 썩어가는 우유였지만, 우유는 비슷한 속도로 동났다. 말하자면 우유는 나만 먹을 수 있는 것도 아니었고, 사실 내 것도 아니었다. 하긴, 우유가 세상에서 제일 맛있는 음료인데. 모두가 먹고싶을만하지. 사랑할만 해. 우유를 마시는 건 숨을 쉬는 것과도 같으니까. 나만 좋아하는 게 오히려 이상한 일이었어. 덜 자란 아이는 잘못된 점을 쉬이 인정할 줄 아는 순수함을 가지고 있었고, 그럼에도 불구하고 여전히 우유를 독차지하는 이기심을 가질 줄 알았다.

그래서 대학에 들어간 이후 나를 힘들게 하는 많은 것들 중 하나는 우유를 예전만큼 많이 마실 수 없다는 것이었다. 우유가 1L에 2천원이 넘는다는 걸 스무 살이 되어 처음 알았다. 고등학생 때 처음으로 내 돈 주고 생리대를 샀을 때 느낌이 이랬을까. 생필품이 원래 이렇게 비싸? 말을 듣고 나를 빤히 쳐다보던 친구의 표정이 아직도 선연하다. 야. 너는 우유가 생필품이냐?

사소한 걸 거창하게 꾸미는 것 같지만, 실제로 생활비나 교통비, 교육비 때문에 우유의 우선순위를 떨어뜨리는 일은 내게 어른이 되어가는 중요한 과정이었다. 아무리 부모님이 우유를 사준다고 해도 그렇지, 어떻게 성인이 되어서까지 우유값 하나 모르냐는 지나가듯 가볍게 던진 말이, 내게는 아직까지도 철이 없고 젖내 나는 어린이 같다는 말로 들렸다. 하지만 남들에게는 한낱 우유밖에 안 될 그게 나에게는 그깟 우유가 아니었다. 엄마 아빠에게 기대지 않고, 이기심을 버리고, 즐거움이나 소속감이라는 대가 없이는 곁에 있어주지 않는 사람들과의 관계를 위해 우유 대신 그보다 더 비싼 알코올을 식도로 넘겼다. 쓰고 독해서 도저히 적응할 수 없었지만, 나는 어른이 되어야만 했다. 먹은 것 없이 허하게 배를 채우는 맥주도 싫고 머리가 띵할 정도로 독한 소주도 싫어서 소맥을 배웠고, 이온 음료를 잔뜩 마셔서 속을 게워내 술에서 깨는 방법을 배웠다. 처음에는 힘들어도 적응하고 나면 괜찮아지니까, 나는 괜찮았다. 이리저리 부딪치며 처세술을 배우고 주종이 요령 좋게 소맥에서 달달하고 빨리 취하는 칵테일로 바뀌었을 때쯤, 나는 더 이상 집에 가서도 우유를 잘 마시지 않게 되었다.

그럴 때마다 아빠는 이틀 내내 한 통을 채 비우지 못한 우유를 찰랑찰랑 소리가 나도록 흔들며 나를 닦달했다. 그 닦달에 다 날 생각해서 하는 말이란 걸 알면서도 신경질을 내는 일이 부지기수였다. 억울한 마음도 있었다. 어차피 나만 마셔야 되는 것도 아니고, 놔두면 어쨌든 누구든 마셔 없애는데. 아예 안 마시는 것도 아니고 고작 덜 마시는 게 뭐 그리 큰일이라고 그렇게 유난일까. 유난도 그런 유난이 없지. 아빠는 저번 주까지도 성질을 부리는 내게 맞짜증을 내면서까지 우유 마시기를 종용했다. 그러니까, 대학에 들어간 지 햇수로 4년째 되는 날까지 말이다. 갓 입학해 기숙사에 입주하던 날 나를 데려다주고 홀로 집에 돌아와 남몰래 울다 들켰다던 아빠답다면 아빠답긴 했다. 한 통도 다 못 먹는 날 먹이려 매번 두통씩 사두는 우유가 끝끝내 남아있으면, 아빠는 아직 트지 않은 새 우유 한 곽이라도 챙겨가라며 눈을 부라렸고, 통하지 않으면 짐에 몰래 끼워넣기까지 했다. 하지만 집에서 다 먹지 못하면 자취방으로 챙겨가는 짐에 몰래 끼워 넣기까지 하던 우유가, 이번 주에는 없었다. 야채칸까지 뒤져봤지만 정말 없었다. 우유의 자리에는 호박즙과 비트즙만이 가득했다.

분명 메인 디쉬는 라면이었고, 우유는 한모금 정도 마실, 고작 가니쉬 정도의 존재감이었을 터다. 라면은 우유 못지 않게 내가 사랑하는 음식이다. 155cm의 키 작은 고등학생을 64kg까지 살찌운 음식이었다. 때때로 우유를 다 먹어버려 라면만 먹은 적도 있건만, 참 이상하게도, 나는 빨갛게 끓어오르던 라면을 음식물 쓰레기통에 벌였다. 이상한 일이었다.

나는 방으로 돌아가 스스로 생각하기에도 과할 정도로 진지하게 왜 우유가 없는가에 대해서, 엄마 아빠가 왜 우유를 사놓지 않았는가에 대해서 고민했다. 고민은 아이가 어른이 되듯 내가 이렇게까지 우유를 좋아할 일인가 하는 생각이 되었다. 이 우유는 당도가 어떻고, 담백함이 어쩌니 하던 나지만 사실 맛이 어떻든 우유라면 다 괜찮았다. 무얼 먹든 항상 우유를 곁들였지만, 우유가 없다고 음식을 안 먹지는 않았다. 못 먹는건 더더욱 아니었다. 2천 얼마가 내기 싫어서 우선순위를 뒤로 밀기까지 하지 않았던가. 그 정도로 떨어진 위치였다. 사실 나는 포카리 스웨트나 박카스의 맛이 더 좋다. 다만 그 무엇도 흰 우유만큼 많은 양을 자주 먹지는 못했다. 이때 나는 다시 한 번 두 번째 기억을 꺼내들었다.

엄마가 건네주던 흰 우유. 내 우유 역사의 서막. 나는 선생님의 손을 잡고 스쿨버스에 올라타 스스로 스쿨버스에서 내렸다. 어린이집에서 혼자 책을 읽다가 모두와 섞여 혼자 밥을 먹고 저녁이 되면 버스를 타고 집으로 되돌아갔다. 엘리베이터 안 구석에는 종종 우유 박스가 뒤집어져 있었다. 또 가끔씩 그 밑에는 주정뱅이의 토사물이 엎질러져 있곤 했다. 그 우유 박스는 아빠가 나를 위해 놔둔 거였다. 박스를 밟고 오르지 않으면 버튼 하나 누를 수 없는 나를 위한 것이라고 했다. 그리고 자주 그 박스는 누가 훔쳐간 건지 없어지곤 했다. 박스가 사라지지 않은 어느 날이었다. 나는 항상 그랬듯 버튼을 눌렀고, 집에 도착해서 대문을 두드렸다. 문이 열리고 엄마가 보였다. 엄마는 이따금 달빛도 가려진 어두운 밤에 집을 나섰다. 홀로 TV를 보던 기억이 선명하다. 새벽 즈음 들어온 엄마는 두어 시간을 자고 일어나 7시 즈음이 되면 다급히 날 준비시키고 흰 우유를 쥐어 주었다. 내 우유 역사의 서막.

어느 날 깊은 새벽, 잠든 척 하는 나를 장난스럽게 목마 태우던 다부진 어깨를 기억한다. 그 날 무릎을 데우던 목덜미의 온기가 아로새기던 것을 안다. 그 순간 눈으로 쏟아지는 수많은 별들이 존재했다. 이유를 아는 슬픔과 이유 모를 슬픔의 차가움 속에서, 나는 기침을 하며 엄마가 데워 준 따뜻한 우유를 마셨다. 엄마는 아직까지도 어린 내가 얼마나 얌전하고 조용한 아이였는지를 말한다. 심지어 아플 때조차 아무런 기색을 보이지 않아 첫 울음을 기억하면서도 벙어리 검사까지 했을 정도였다고 했다. 그래서 엄마는 내 손에 따뜻하게 데운 우유를 쥐어주곤 어르고 달래며 아픈 구석을 묻곤 했던 것이다. 알기 쉬운 사랑이다.

안타깝게도 나는 예민하기 짝이 없는 인간이라, 간혹 나의 삐뚤어짐을 인식했다. 나는 한여름 날 핫팩이 얼마나 하찮은 것인지, 한겨울 날 미지근하게 식어가는 커피 한 잔이 얼마나 소중한 것인지 알고 있다. 쨍하게 내리쬐는 햇볕 아래 아이스크림은 아주 잠시 내 입 안을 시원하게 만드는 데 그치지만, 거센 바람을 맞으면서 먹는 미온수 한 잔은 나를 고온의 전기장판 안에서도 추위에 떨게 만들었다. 나는 선천적으로 기관지와 면역력이 약했다. 기침 한 번에 병원에 가는 것은 익숙한 일이었다. 덕분에 개근상은 커녕 전근상도 받은 적이 없다. 여름이 아닌 겨울이라서, 한낱 아이스크림이 거대해지고 그깟 핫팩이 간절해졌다. 아니, 사실 나는 사계절 그것이 간절하다. 나는 한여름에도 핫팩을 쥔 채 빠알간 가래가 섞인 기침을 토했다. 참 알기 어려운 결핍이다.

짙은 녹색의 플라스틱 박스가 없는 날에는 어땠더라. 사실 잘 기억이 나질 않는다. 전등 센서도 감지 못 할만큼 작은 나는 그 어두운 복도에서, 엘리베이터 앞에서, 홀로 우두커니 서서, 대체 무슨 생각을 했을까. 기억하지 않아 알 수 없는 일이다.

결국 자취방으로 돌아가는 길에 우유 하나를 샀다. 굿모닝 우유,

900ml에 1600원. 싸고 부족하지만 가성비로 따지자면 훌륭한 우유다. 아마 일주일은 두고두고 마실 것이다. 넷째 날 즈음에는 아, 우유가 있었지 하고 한 모금 정도 마신 우유를 컵에 따라 반 정도는 마실 것이다. 그러다가 며칠 즈음에는 '우유의 진실' 이라는 제목을 단 다큐멘터리를 보고 먹지 않으려 참다가 결국 또 한 모금 마실지도 모른다, 아마도 상온에 방치해 둔 우유를. 이제 미지근한 900ml라도 괜찮았다. 따뜻함에 마비된 고양이 혀라고 해도 좋다. 구태여 알만한 슬픔을 늘릴 필요는 없다.

날개

가인은 미소 짓고
그대로 몸뚱어리를 기울이고
꽂은 물에 살포시 내려앉아
끝나지 않을 낙하를 다짐한다.

멀리 강하하라
높게 떨어지리라
더욱 추락하라
찬란하게 낙하하리라

이제 저 강인한 능소화를 보라
저 짓눌리지 않는 불을 우러르라

가인은 미소 짓고
그대로 몸뚱어리를 늘어뜨리고
꽂은 심해에 내려
자신의 증명에 영겁의 하강을 다짐한다.

쿠오바디스 도미네

묻습니다.
감히 살아 보아도 되겠습니까,
어떤 형태의 죽음도 생生보다 아름다울 수 없는 이 세상을,
던져지는 위로와 내려다보는 거부를,
저는, 신이시여.

다들 어둠이 있기에 빛이 있다 말하지만
한쪽 눈으로 구멍을 엿보고 어둠을 마주 보았다고 말합니다.
신이시여 저는 눈먼 자입니까.
신이시여 저는 눈 돌린 자입니까.

신이시여
제가 죽음의 아름다움을 보아 생의 숭고함을 깨달았듯,
생의 숭고함을 보이면 누군가 죽음의 아름다움을 볼까요.

그렇다면 기꺼이 살아 보이겠습니다.

빛무리

눈을 감기는 환한 빛무리
신체 결손의 차디찬 날붙이

건조하고 낯선 호흡
박동하는 폐부와 심장

힘겹게 뱉어보는 첫 울음
당신과 헤어지는 첫 경험

나는 그렇게 태어나 세상을 마주한다

이제는 빛을 받기 위해 눈을 뜬다
빛이 아닌 어둠에 눈을 감아본다

어머니 당신을 마주해
나는 이별이 아닌 만남을 배운다

눈을 깜빡이며 받은 숨을 내뱉는다
흉터를 배꼽이라 부르며 웃는다

8m

너와 봄의 거리

구산일

프롤로그 1

단정히 그림자가 되는 하루를 보내고
끌어안은 양팔에 기억을 이어 붙였다

고인 빗물처럼 흐르는 기억에
양동이를 받친 내가
넘치면 어떡할까 걱정을 했다

온 신경을 밤새워
도망을 붙잡으려 했는데

알갱이가
꼭 물 알갱이 같은 것이
손가락 사이를 날름거리며 사라졌다

흩어진 기억에 흩어져야 했던 이유를 붙여서
그렇게라도 기억하려 했다

프롤로그 2

진탕 끝내고 싶었다
물건이, 공기가, 생각이,
축포처럼 터졌다

이제 더는 힘들지 않아!

안구에 가득찬 물을
남김없이 쏟아내었다

나의 눈물, 나의 피,
눈물에 흐르는 나의 꿈, 소망,
피에 각인했던 나의 역사……

나는 침몰하고 있었다
시야가 잠기고 있었다
그래 이건 전부

진탕
진,
탕
지인,탕
지,이,인
탕
뇌-, 진탕

지금무얼하고있었더라?

난파선처럼
기능을 상실했다

주우황빛 1

내 결핍
한 줌 덜어 만든 지점토는
화약을 두려워하는 구(球)

신호탄이 울리고
비둘기는 총성에 귀가 멀었다

깃 하나 창공에 박혔고
구름은 비명을 질렀다

네게 박힌 구(球)는
불덩이 되어
네 가슴 곁에 지냈다

나는 또 하나의 지점토가
쥐어지겠다 헛웃음을 보였다

주우황빛 2

불을 밝히어도 빛나지 않는 담뱃불을 쥐며
건너편의 또 다른 흡연자를 본다

그는 한 손에 휴대전화를 쥐며
그 역시 빛나지 않는 꽁초를 태운다

안온한 하루는 없다
태어나는 순간
우리는 삶을 태운다

연료 삶 알코올 니코틴,
열망 희망 바람 운명

단어로 정의되지 않는 세월을
단어로 짓는 모습은
애처롭다

숨은 한 평 남짓한 방에서 뱉고, 쉰다
녹슨 가래는 사레들린다

머뭇거린 호흡에
전부 타버렸다
무언가 훽 사라졌다

주우황빛 3 – 오월의 언어

심장으로부터
데워진 피가 흐를 때
더운 피를 가지고서 호흡을 할 때
콧김에 인중과 입술이 차례로 녹았을 때
나의 혀가 발가벗겨졌을 때
시체의 언어를 배웠다

말하는 법을 배웠고

봄에 도약하는 말을 배웠으며

영원히 죽지 않는 말을 배웠다

그것은 더운 피
피를 데운 심장 박동하는 무언가
그거면 됐다

나의 혀는 혈관의 꼭짓점이자
심장이다

주우황빛 4

철 지난 유행가를 읊조리던 아무개는
대형 크레인 아래서 숨죽였다

폭우로 쏟아지던 황동 속에서
헤엄치다 잠겼다

품엔 마모된 나사 부품 하나

관리자는 고갤 숙이고 눈알을 관자놀이에 붙였다
넙치다!
바닥에 붙어사는 넙치다!

새끼일 적이 있으리라
바다를 부유했을 적이 있으리라
무얼 그리 먹어 바닥을 기게 되었는지

굴삭기의 주둥이에 천을 매달아도
넙치는 보지 않았다
고고한 하늘을 보지 않았다

늘어진 뱃가죽으로
천천히 몸을 돌렸을 뿐이었다

에필로그 1 – 봄

달군 쇠덩어리 같은 해가
빳빳한 고개로 삼켜지는 순간까지
하늘을 녹였다

주황으로 물든 하늘과
양철인간이 되려는 소년의 모습에
무른 가슴을 질겅질겅 씹었다

밤빛으로 스민 하늘에서
상한 내가 났다
가로등이 켜지고 동그마니 뭉그러졌다
소년은 해를 따라 삼켜갔다

용암 같은 하늘이
길게 늘어졌다
봄이, 오고 있었다

에필로그 2 - 봄

봄의 싱그러움을 쐬던 너는
봄을 동경해서
핑그르르 뛰어내렸다

나는 주먹만 한 심장에
주먹을 가져다 대고는

일초 전 박동이 사라졌음을
이초 전 박동이 사라졌음을

너도 그렇게
영원히 사라질까
숨을 쉬기가 어려워졌다

너는
박동의 중심에서
봄이 사라질까 두려웠던 걸까

번외 1

잡초 같은 숨이 반복되던 날에
목을 부여잡았다

아마
콧노래를 흥얼거리던 때에 심어진
빛의 자국

오, 그건 불티와 같은 것

검게 그을린 연기를 뱉고
속살을 드러내
불꽃을 피우기 위한

맹렬히 타오르는 잡초 사이를
살아있는 공기가 메웠다
뜨거운 김이 머리 위로 피었다

번외 2

너를 보면서
나의 쓸모를 찾았다
정확히 말하자면
네 눈동자에 몽글게 고인 나를 보면서

네가 눈을 껌뻑이면
나 역시 켜지고 꺼졌다

네가 나를 보며 손을 휘적이면
안녕이라는 말이 참 어려웠다
그러니까 웃음을 빙글 말아서, 안녕

나는 네 원에
가득 들어맞고 싶었다

1km

안개의 수평지정 거리

백승효

검은 구멍

언제나 즐겁고 유쾌했다.

술집의 이름은 블랙홀이었고, 우린 그 술집을 검은 구멍이라 불렀다. 주변의 다른 술집들은 허름하고 어딘가 기울어져 보였으나, 블랙홀은 비교적 깨끗하고 반듯하였다. 문을 열고 들어가면 천장에 아주 까맣게 소용돌이치듯 원이 그려져 있는데, 나는 언젠가 그 그림에 빨려 들어가는 상상을 하곤 했다.

너와 나는 이야기를 나누었다. 눈에 띄는 것을 골라잡아 목소리 높여가며 이야기했다. 술에 대해, 술잔에 대해, 술의 맛에 대해. 파리가 날라 다니면 파리에 대해, 화장실의 암모니아 냄새에 대해, 사장의 매부리코에 대해. 술집에선 이야기할 거리가 넘쳤고, 우린 그것들에 굳이 의미를 두진 않았다. 의미 없이 우린 웃었다. 미친 듯이 웃었다. 우리는 1차가 끝나면 검은 구멍의 다른 테이블로 옮겨가 2차라며 떠들고는 다른 술과 다른 안주를 시켰다. 우리는 그런 식으로 3차까지 가곤 했다.

언젠가 검은 구멍에서 우리의 대화와는 정반대의 주제로, 정치라든가 철학이라든가, 피곤한 이야기를 나누는 사람들을 보았다. 그들은 인생의 의미를 찾는 듯 했고, 아직 찾지 못한 듯 그들의 표정은 이 술집의 천장처럼 검었다. 그늘진 얼굴로 구정물 먹듯 술을 마시는 두 남자 때문에 나는 대뜸 심술이 나버렸다. 지루하기 짝이 없는 그들의 이야기를 엿듣다가 그 심오한 철학자들을 골려주기 위해 나는 계산을 한 뒤 그중 한 명의 얼굴에 맥주를 뿌려버리고 너와 함께 냅다 뛰었다. 도망치면서 그들의 얼굴을 보니 처음에는 어안이 벙벙하였으나 곧 얼굴을 구기며 우릴 쫓아왔다.

우린 웃으며 도망쳤고, 도망치며 웃었다. 그러다 도망치는 자와 쫓는 자 모두 지쳐 가로등을 하나 사이에 두고 가쁜 숨을 골랐다. 나는 그때 도저히 뛸 수가 없었다. 그들은 좀비처럼 가로등으로 걸어왔다. 우리에게 다가오다 그들 중 하나는 엎어지듯 가로등에 기대었고, 다른 하나는 토를 했다. 그 모습은 꼭 살아있는 송장 같았다. 곧 그들은 완전히 취해서 무어라 욕하며 떠났고, 그 광경을 지켜 본 나는 배를 잡고 웃었다. 하지만 너는 그들처럼 얼굴을 구겼다. 가로등엔 불나방이 부딪혀 틱틱 소리를 내었다.

그 일이 있은 후, 너의 표정은 그들처럼 항상 어두웠다. 어쩌면 그들보다 검었을지 모르겠다. 검은 구멍에서 검은 구멍으로 2차를 가도, 우리가 술을 아무리 마셔도 너의 표정은 밝아지질 않았다. 더 이상 즐겁지도, 유쾌하지도 않았다. 술에 젖은 눅눅한 목소리로 너는 말했다.

"우리가 하고 싶은 일이 있었는데……."

마지막으로 헤어진 날 집으로 돌아가는 길에서 너는 그 가로등을 쳐다보았다. 그들이 남기고간 토의 자국이 아직도 남아 있었다. 불나방도 틱틱거렸다. 너는 내가 검은 구멍의 천장을 보듯 가로등을 쳐다보았다. 그러다 거의 울먹이며 내게 말했다.

"이 때가 더 좋지 않았어?"

나는 고개를 저었다.

네가 옳은지 내가 옳은지는 모르겠다. 하여간 그 후로 우리는 서로 연락도 안 되었고, 만날 수도 없었다. 풍문으로 네가 피로한 일에 다시 전념한다는 이야기가 들려왔다.

나는 네게 즐거웠냐고 묻고 싶다. 지금은 즐겁냐고 묻고 싶다. 나는 아직도 검은 구멍에서 빠져나오지 못하고 있다.

담배와 안개

안개가 새벽어스름에 피어오른다. 나는 한참을 달리다 숨이 벅차 잠시 걸었다. 분명 무엇인가로부터 달아나고 있었는데 기억이 나질 않았다. 숨을 고르다보니 현기와 피로가 몰려왔다. 몸에 있는 모든 피가 머리에 쏠렸다가 다시 내려가는 느낌이었다. 천천히 기억을 더듬어 보았다. 나를 도망치게 만든 건 무엇이었을까. 무언가 기억난 사람처럼 핸드폰을 들어 화면을 보았다. 정신없이 달리던 도중에 핸드폰의 진동을 느낀 것도 같다. 시간은 5시 30분이 넘어가고 있었고, 가족들에게 온 부재중 전화 몇 통이 화면에 걸려있었다. 나는 어디서 출발해 어디로 가고 있던 걸까. 기억나지 않는 모든 것들이 너무나도 중요하게 느껴져서 기억해내지 못하면 죽을 것만 같았다. 그러나 어떤 것도 떠오르지 않았다. 내가 알고 있던 모든 게 조각난 채로 흩어져가는 기분이다. 안개 때문일까. 나는 정처 없이 걸었다.

먼발치에 버스정류장이 보였다. 그 사이 안개는 더 짙어졌다. 지나가는 차들은 거의 없었다. 피로와 두통은 안개처럼 짙어져만 갔다. 나는 제일 먼저 오는 버스를 탈 속셈으로 정류장에 갔다. 기억나지 않는 것들을 억지로 붙잡고 씨름하는 것도 지쳐버려, 버스에서 한숨 자야겠다고 생각했다. 자고 일어나면 무언가 떠오르지 않을까하는 자그마한 바람이었다.

정류장에는 검은 정장을 입은 여자가 버스를 기다리고 있었다. 시간은 어느새 7시를 향해 간다. 이렇게 이른 시간부터 버스를 기다리는 걸 보니 여자도 고된 하루가 되리라. 정류장 유리에 비친 내 몰골은 처참했다. 회사에서 나왔는지 정장 차림이었는데 외투는 온데간데없고 셔츠는 풀어헤쳐져 보기 민망했다. 나는 셔츠 단추를 얼른 잠갔다. 가만히 생각해보니 외투를 병원에 두고 왔다. 그래, 나는 분명 병원에서 나왔다. 그러나 왜 병원에 갔는지는 끝내 기억나지 않았다. 여자는 내가 옆에서 뭘 하든 별로 신경 쓰는 것 같지 않았다. 그녀는 작은 손거울로 자신의 얼굴을 보고 핸드폰을 열었다 닫았다 하더니 이내 담배를 하나 꺼내 물었다. 곧 그녀의 입에서 연기가 연거푸 뿜어졌다. 안개는 분명히 더 짙어졌다. 이제 보니 내 아내와 무척이나 닮았다. 내 아내가 담배를 피웠다면 이런 모습이리라. 담배는 속절없이 타들어갔다. 그녀가 담배를 손가락으로 튕기자 재들이 사방으로 튀었다. 하나로는 아쉬웠는지 그녀는 담뱃갑에서 한 개비를 더 꺼내 불을 붙였다.

"담배는 백해무익해요."

아내가 입버릇처럼 하던 말인데, 그 순간 내 입에서 나와 버렸다. 여자는 잠시 당황하더니 어색하게 웃으며 담배를 계속 피웠다. 웃을 때 애교살이 도드라져 보이는 것도 아내와 닮았다. 아내는 애교는 없지만 사랑스러운 구석이 많은 사람이다. 내가 담배를 피울 때면 항상 생긋 웃으며 '담배가 좋아요, 내가 좋아요?'하고 물었다. 아내가 그런 질문을 던져올 때면 나는 매번 쑥스러워 담배가 좋다고 말하곤 했다. 아내는 내가 곤란해 하는 걸 즐겼고, 나는 항상 반대로 답하면서도 싫은 기분은 아니었다.

아내는 병석에 누워있을 때조차 나에게 그 웃음을 보였다. 오히려 평상시보다 더 많이 웃고 더 많이 재잘거렸다. 일이 바빠서 병원을 찾아가지 못하는 날이면 퇴근시간에 맞춰 내게 전화를 걸었다. 그런 날엔 내가 피곤할 걸 염려하여 항상 전화를 빨리 끊었다. 괜찮아질 거라고 말했지만 아내의 숨소리는 가빠져만 갔다. 그렇게 3년이 흘렀다.

그녀는 마침내 두 번째 담배마저 다 피워버렸다. 안개는 더 짙어져 한 치 앞도 분간이 되질 않았다. 멀리서 어렴풋이 버스 엔진소리가 들려왔다. 나는 그녀의 옆으로 조심스럽게 다가갔다. 그녀는 내가 옆으로 다가와도 별로 신경 쓰지 않았다. 갑자기 나도 담배가 간절하게 생각났다. 몸을 더듬어 담배를 찾아보았지만 나오질 않았다. 외투 속주머니에 있을 것이다. 항상 그곳에 넣어두니까. 외투를 찾으러 다시 병원에 가야할까 고민되었다. 아내라면 뭐라 했을까. 내 아내라면.

갑자기 눈물이 흘렀다. 터진 눈물은 멈추지 않았다. 모든 게 하찮아졌다. 옆에 있는 여자는 놀라서 나를 쳐다봤다. 역시 나는 도망치고 있었다. 어디로 가야하는 지도 기억났다. 버스는 두 눈을 밝히며 정류장 앞으로 다가왔다. 나는 버스에 오르기 전 그녀의 입에 키스를 했다. 담배 냄새가 났다. 그녀는 놀라며 나를 뿌리쳤고 나는 그대로 버스에 올랐다. 맨 뒷자리로 가 비스듬히 누워 창밖으로 그녀의 얼굴을 바라보았다. 그녀는 아직도 놀라있었다. 이제 보니 내 아내와 닮은 구석이 하나도 없었다. 그녀는 전혀 사랑스럽지 않았다.

내 입에서 아직도 담배 냄새가 나는 듯 했다. 이게 꿈이라면 나는 어떤 현실을 살고 있는 걸까. 아니 이게 현실이라면 나는 어떤 꿈을 꾸어야 할까. 안개는 그 속에 수면제라도 품은 듯 나를 몽롱하게 만들었다. 가끔씩 덜컹거리는 버스가 겨우 내 의식을 잡아주었다. 아내를 위해 나는 무엇을 했어야 했나. 그러나 아무것도 떠오르지 않았다. 사실 아무것도 생각하고 싶지 않았다. 어제일까, 아니 오늘 새벽일 것이다. 아내가 죽었다. 웃음 많던 그 얼굴이 석상처럼 굳었다. 나는 도망쳤고 이제 어디로 가고 있었는지 기억났다. 지금 이 순간에도 담배 하나가 절실했다. 아내라면 이 상황에 내게 무어라 말했을까. 나는 네가 더 좋다고 나지막하게 말하고는 혼절하듯 잠에 들었다. 이게 다 안개 때문이리라.

기사가 나를 깨웠다. 종점이었다. 언제 그랬냐는 듯 안개는 보이지 않았다. 나는 버스에서 내렸다. 이젠 목적지에 갈 방법이 떠오르지 않았다. 정말 안개 때문이었을까. 어느새 하늘에 걸린 태양을 나를 눈물짓게 만들어 이것이 꿈이 아님을 말해주었다. 그럼 나는 어떤 현실을 살아가야 할까. 구름 한 점 없는 하늘은 부끄러운 줄도 모르고 푸르렀다.

포물선 그리기

골드버그장치는 생김새나 작동원리는 아주 복잡하지만 그에 비해 하는 일은 아주 단순하기 짝이 없어서, 아이러니함에 헛웃음이 나오는 기계를 말합니다. 공을 굴리거나, 도미노를 넘어뜨리는 등, 다소 복잡한 과정을 거쳐 책을 넘긴다거나 머리를 빗는 등 다소 허무한 결말이 그 예입니다. 다른 예를 들어볼게요. 나는 내가 레몬을 처음 먹은 날을 기억합니다. 아주 어릴 때였죠. 피지배계급이었던 저희 아버지는 치열한 삶의 연속에서 지배계급에게 받은 돈으로 저에게 레몬을 사주셨죠. 무슨 연유였는지 잘은 모르겠습니다. 아마 아들의 찡그린 표정을 보며 그간 잃었던 웃음을 되찾기 위함이었을까요. 레몬을 처음 먹은 나는 있는 힘을 다해 얼굴을 구겼고, 아버지는 우리가 살던 작은 집을 무너뜨릴 듯 크게 웃으셨습니다. 그런데 정말 웃음이 집을 허물었는지 천장이 무너져 내렸습니다. 그 덕에 우리 가족은 한동안 여인숙에서 생활을 했어요. 아버지는 다시 울상이셨죠. 이러한 일련의 사건이 있은 후, 나는 레몬을 입에도 대지 않기로 마음먹었죠.

시간이 지나 나는 학교에 들어갔습니다. 그거 아시나요? 교육은 굉장히 무자비하고 폭력적입니다. 내가 받은 교육은 계급재생산의 도구로서 나로 하여금 작은 희망을 갖도록 강요했습니다. 희망은 대개 두 가지로 분류 가능한데, 첫 번째는 너무 나약해서 금방 흘러내리는 것이고 두 번째는 거머리처럼 우리 삶에 딱 붙어서 우리를 빨아먹고 살기에 주기적으로 떼어 내야하는 것이죠. 제가 가진 희망은 후자였습니다. 계층이동, 그것이 불가능함을 깨닫고 내게 붙은 거머리를 제거한 것은 내가 성인이 다 되었을 때입니다. 헛된 희망을 쥐어주고 현실에 내동댕이칠 만큼 교육은 자비가 없습니다. 그때부터 내 삶은 급속도로 무기력해지기 시작했습니다. 웃음을 잃어버린 건 유전이었을까요.

가난한 자에게 복이 있나니. 왜냐면 부자는 딱히 그런 게 필요 없거든요. 지배계급은 피지배계급을 조장해 그들의 소비를 무절제하게 만듭니다. 아버지가 없는 형편에 레몬을 사온 것처럼 말이죠. 그렇게 소비된 자본은 다시 자본가의 호주머니를 채웁니다. 나는 이 부조리함을 모두에게 알리고 싶었어요. 그렇게 집을 나갔습니다. 무슨 우연에 일치일지. 집을 나간 나는 레모네이드 공장에 들어갔죠. 많은 양의 레몬을 다듬어야했습니다. 그렇게 악착같이 벌어 미술을 시작했습니다. 악착같이 그렸습니다. 내 첫 작품은 '레몬을 착즙하는 인간'이었습니다. 이상하리만치 내 아버지를 닮은 사람이 레몬을 착즙하는, 그러나 그 레몬에선 즙이 아닌 피가 흘러내리는 그림이었죠. 예술은 본디 자본이라는 맥락에서 벗어나기 위해 부단히 노력합니다. 그러나 내 작품은 평단의 호평을 받았고, 난 돈방석에 앉았죠. 아이러니입니다. 하지만 난 개의치 않았습니다. 내 스스로 내 삶을 견인해낸 게 난 너무 자랑스러웠거든요. 그때의 나는 내가 너무 자랑스러워서 종종 내 머리를 쓰다듬었습니다.

그러다 아버지가 위독하시다 길래 나는 임종을 지키기 위해 아버지가 계신 병원을 찾아왔습니다. 한평생을 주름 속에서 살아오신 나의 아버지. 그 옆에는 제가 몸담았던 공장의 레모네이드가 있었죠. 아버지는 내게 그것을 마시라 눈짓하셨어요. 그것은 인생이 내게 준 레몬을 약 40년 만에 레모네이드로 만든 순간이었습니다. 나는 레모네이드를 마시고 있는 힘을 다해 얼굴을 구겼죠. 아버지는 은은한 미소를 지으셨고, 익일 오전 8시 경에 눈을 감으셨습니다. 일종의 골드버그장치죠.

모르긴 몰라도 눈이 감겨올 때 아버지의 생각들은 분명 포물선을 그리고 있었습니다. 그것도 골드버그장치일까요?

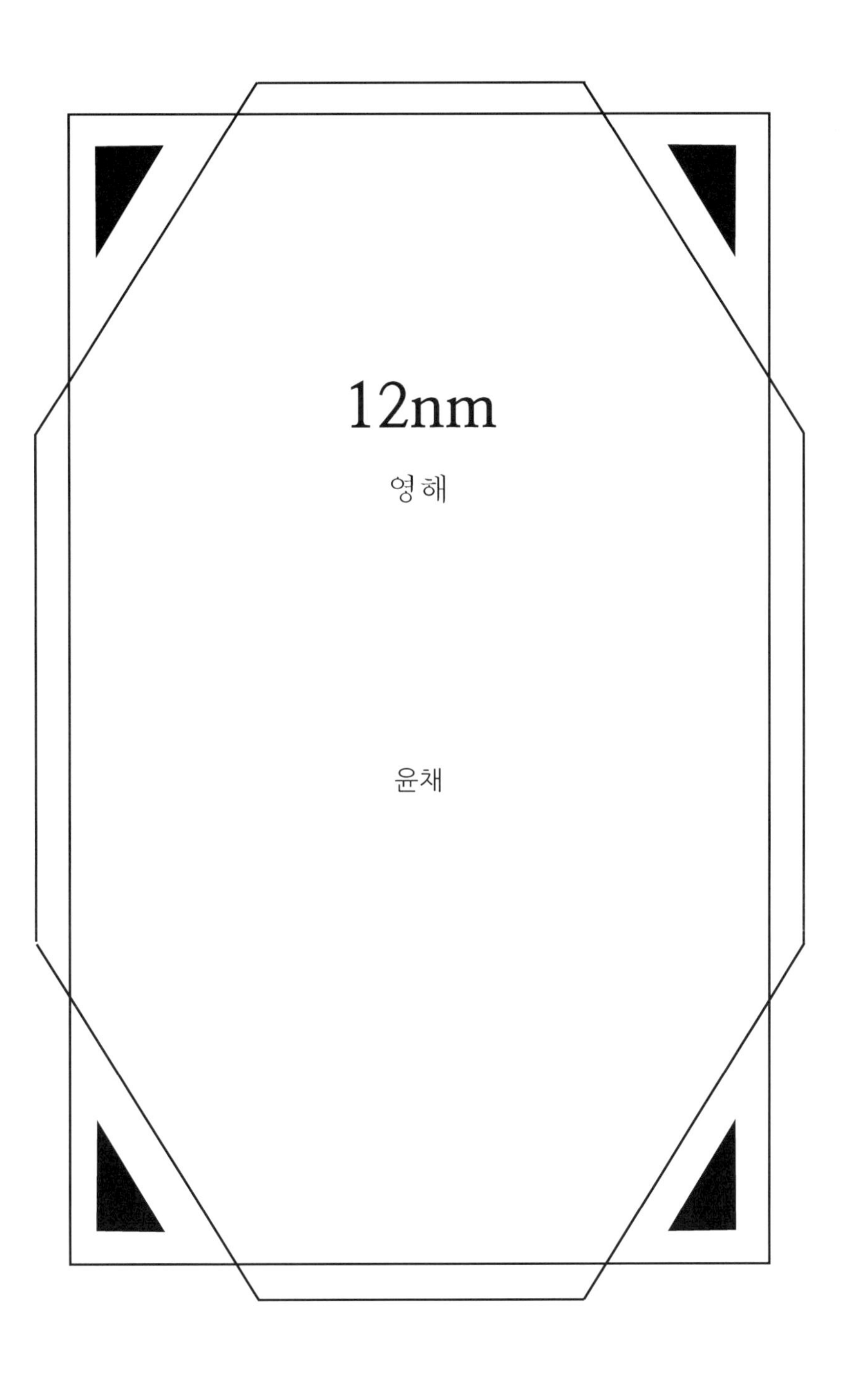

12nm

영해

윤채

바라는 바다

세희야 네가 그랬지
일렁이는 물비늘의 요란을 가만히 보면
꼭 어지러이 흩어지는 마음결과 같다고

당장 떠날 듯 구는 저 위태로운 잔해들이
속속 피부에 박히어
너를 한없이 눈물짓게 할 거라고

한때 내가 바다를 보노라면
빛을 여읜 물살이 금방이라도 몸집을 불려
아픔 채 느끼지 못하고 그렇게 잠기고 말아
부산에서 속초로

때로는 보라카이로
어쩌면 이름조차 모르는 저 멀리 깊은 곳으로
기억 저편 흔적까지 말끔히 짓뭉개리라 믿었지

세희야 나는 바라던 바다에 왔어

기억은 쇠해 그저 까막거릴 뿐인데
그래도 너의 파편만은
수면 위를 넘실거리는 저 물비늘처럼
지독히도 요란히 굴었으면 해

愛憎

묘하다 네 눈이
묘연하다 네 색이

해지고 버지는 와중에도
헤칠 수 없는 끄나풀같이

희망 한 점 떠낼 수 없다던 무기력이
얼룩은 그저 지나칠 줄을 모르니

아물한 감각을 용병 삼고
적당한 기억을 자루 삼아

기어코 살아내려는 그 치열함을
사랑하기 버거운 그 미련함을

도저히 미워할 수 없어
끝내 나는 입을 맞췄다

그것으로 족하기로
그래, 마음먹었다

애정 무한

달이 떴기에 삼켰습니다 그것을
무사히 착륙한 수십 통의 편지와

가만히 앉아 문장을 굴립니다 나는
한 글자 한 글자 잘게 부수니
혀뿌리서 한참을 사그락댑니다

…가 행복했으면 합니다
…로 족합니다
바라건대, 바라 마지않아, 바라니….

음절이 따라붙는 입가가 시큰합니다
꼭 초승달의 모양을 하고서는

저마다의 사랑을 구가한 듯
입안에서 반작이는 유구한 것
도무지 수그러들 생각 없는 것

미소는 아른아른 떠오르고
외마디를 얹어 나는
애정이라 말하며 목을 놓습니다

완주군 삼례읍 가인길

완주군 삼례읍 가인길, 청색 지붕 아래 톡 떨어지는 방울이 호박색 장판을 일으키던 곳. 아이의 유년은 그로부터 시작하였다고 합니다.

여름날 기껍게 살핀 땅을 헤집으며 방긋대던 아이가 빗물을 맞고는 볼 뜨시게 울어재끼면 당신은 쥐었던 호미를 던지고 바삐 뛰댕겼다 합니다.

애 좀 잘 봐주지 그랬냐는 딸의 눈초리에 한없이 쪼만해진 당신은, 매일 아이를 감저 같은 포대기에 들쳐 매고 만 걸음을 걸었다고 합니다. 유난이라며 혀를 차던 그네들에 썩꺼지라며 호통치던 당신도, 제 등을 벗어나려 하지 않던 야살스런 아이의 엉덩이를 한껏 꼬집었다고 합니다.

그러나 젖은 옷감에 얼굴을 파묻고 비누 내음을 좇던 아이의 동그란 살집이 볼록 튀어나오면 당신은 어깨축을 짓누르던 때가 가시는 듯했다 합니다.

아이가 대문을 비집는 익숙한 목소리에 퍼뜩 일어나 등을 보이던 그때. 겨란 같은 그 머리를 끌어다 품에 안고 오래도록 살고 싶었다 합니다.

그랬다고 합니다. 그렇게, 살고 싶었다고 합니다.

완주군 삼례읍 가인길, 회백색 노을이 마당의 것들을 어루만지는 곳. 아이는 발밑에 움튼 당신만한 그림자를 놓을 수 없어 한 발자국도 움직이지 못하고 있다 합니다.

故海

내 마음의 고향, 바다

메밀꽃이 피어나 해수를 두드리고 잠자던 놀이 깨어나면 바다는 연거푸 술렁입니다 그는 빛자락으로 몸을 정돈하고 여울로 옷을 바꿔 입습니다 알람이 울리면 떼를 지은 물고기는 진동하고 해조는 눈을 비비며 뒤척입니다 그렇게 한바탕 어수선魚水盤해집니다

층을 걷는 갈매기가 되어 이곳을 비행하면 나는 마치 고향에 돌아온 듯합니다 스미는 바람결과 엉겨붙는 구름자락이 옛 지인을 만난 양 정답습니다 날개가 젖을지라도 기어코 표류하고 싶어집니다 물꽃을 떠올려 그의 배를 간지럽힙니다 같이 놀자고, 일어나라고 발을 굴려봅니다

녹綠이 짙은 미역이 되어 이곳을 떠다니면 나는 마치 고향을 거니는 듯합니다 좌르르 펼치는 햇살에도 물방울을 고이 모시고 흘러갑니다 떠돌던 개구리밥이 머리맡에 앉거든 몸을 돌려 반깁니다 모든 것이 아늑합니다 그의 널찍한 품에 안긴 것들을 동경하며, 나 또한 하나의 결로 나아갑니다

내 마음의 고향, 바다

오늘도 그를 떠올리며 마음엔 향수가 어립니다

양파 兩罷

내 슬픔에는 언제나 네가 있어
기댄 어깨로부터 사무친 마음이 똑하고 떨어졌다

부패는 옮는다
모진 네 심지가 그러도록 뿌리박았다

내 몸서 착실히 갈변된,
향이 나를 보며 웃는다

한풀 벗기면 떨어져 나갈 줄 알았더니
오랜 겹들에 우스워진 건 나였더라

자연히 썩기를 기다리다
제풀에 지쳐나가는 것 또한 나일 테지

나는 네 어깨서 한참을 울었다
울음에도 네 것이 밴다
아주 시리고 독한

여린 가슴을 베어냈다
사랑하는 너를 결코 사랑하지 않으며

51mi

실비아 플래스의 가스오븐에서 버지니아 울프의 강가까지

김효찬

여류시인의 자살

나는 실비아처럼
내 죽음들을 유리병에 진열하듯 종잇장을 채우다가
마침내는 제 머리를 관짝에 욱여넣고 싶지 않았다
그것이 가장 가까웠만서도

나는 버지니아처럼
펜대를 그만 놓고 누군가의 품속으로 뛰어들어
페미니즘도 나의 어린 절망도
모두 모른 체 하고 싶었다

바닥 없는 해구처럼
날서있는 불행들이야말로
예민하게 움칫 몸을 떠는 말들의 자양분이니
역작은 무릇 심연에서 태동을 일으킨다

절망을 토해내는 예술은 다시 그림자를 낳고
그늘은 종양처럼 증식해 생을 먹어치운다
실비아 플래스는 그렇게 죽었다
역작만을 남긴 채로

그러니 나는 글을 버린다
찢어버린 창밖으로 연필을 쥐어꺾어

그래 버지니아의 구원은 없겠지
그러나 이 미약한 행복이라도 가벼운 입꼬리라면
혹여는 내 전부였던 시를 패대기도 칠 수 있다

나는 그렇게 비열한 자가 되어
어린 나에 대고 읊는 맹세는 전부 폐기
망각의 동물로 생을 어영부영 웃기로 했다

벚나무

내 키가 이보다 반 뼘은 작던 시절에
숨이 막힐 만큼을 어깨에 메고
간단한 산보마저 숨찰 만큼 몸도 연약하고
폐부가 산산조각나 숨쉴 수 없던 시절에

내 뺨을 간질이던 벚나무가 있었다

하교길에마다
조붓한 보도 사이에
돌덩이들을 뚫은 틈 사이에서 내 옷깃을 턱턱 잡고
뭉텅 잘린 가지들이 처연하게 아름답지 않게 봄꽃을 피웠다

낙화마저 살랑이듯 무결하던 조형수와는 달랐다
아프고 지치는데
딱 나만큼의 높이에서
연분홍 발그레하게 볼을 붉히고
꿋꿋했다

오늘 겨울날에 걷는데
단단한 다리와 숨이 쉬워진 지금
문득 그 나무의 잘려버린 밑동 위에서 한참을 서있었다
뺨이 발갛게 얼어버릴 때까지

마치 섬같았다

보도블럭과 시멘트 바다에서
벚나무는커녕 덤불 하나 보이지 않는
외딴 섬

숨결이 하얗게 뿜어지다가
멈췄다 잠깐

아이처럼 짧았고
고통처럼 굽었던
그 벚나무처럼

연어

나는 한동안
당신의 흔적이 스칠 때마다
알 밴 연어 그물에 걸린 듯 파드득거렸다

별것도 아닌데 생각은 연쇄하고 새끼를 친다
당신의 눈물이 망막을 드리우고
당신의 울음이 고막 안쪽에 감금된다
쉼없이 부정맥처럼 심장고동이 발버둥친다

당신이 생각날 때마다 자리를 박차고 일어나 온몸을 웅크렸던 때도 지나고
당신의 이별이 짙은 채로 닮은 사람에게 착각을 덧입힌 연애도 지나고
당신의 빈자리가 새벽처럼 서늘하게 기꺼운 멜랑콜리도 지나고
당신의 잔향이 멋모르게 머무를 때마다 사랑노래에 동요하던 때도 지나고

그렇게 당신이 지나고-았다

당신은 온전히 과거형이 되었다는 것을
삶이 아프고 동요하고 마침내 고요할 때도 몰랐다
그토록 간절하던 고요가 지난해진 지금에서야
죽음이 머리맡에 있을 때에 당신을 사랑했던
그 순간이 내게는 가장 삶 같았다고

기억을 역류하여 올라가다가
마침내 비어버린 마음께를 더듬어보고
전부 산란해버린 사랑 맡에서
고요하게
눕는다

여름비를 차라리 좋아하기로 했다

투명한 수증기와 뿌연 물방울들이 빽빽하게
빈자리들을 채우는 날의 습도 속에서
미묘하게 젖어버린 머리카락을 포니테일로 꽉 묶는 행위는
온전히 자립적인 시원함의 표상이다

가벼운 이파리마저 고요할 만큼 바람 한 점 없고
우산을 쓰기에도 접기에도 우스운 빗줄기 아래서
28도의 애매한 더위와 간지러운 가랑비 사이에서
느슨하게 부채를 반즈음만 펴본다

유리문 너머는 에어컨 바람이 차갑게 내리치겠지
달라붙은 속옷 아래로 파고드는 인공의 서늘함
기껍겠다만, 움칫 주저하는 발걸음

홀로 시원할 수 없다면 차라리 나는
땀과 액화된 습기로 엉겨붙은 여름비에 주저앉는다

인터뷰

-여류시인의 자살-

Q: 먼저 여류시인의 자살 이거에 대해서 이야기를 해보려고 해요. 혹시 이 시를 쓰게 된 계기 같은 게 있나요?

A: 일면에 나오는 것처럼 여기 실비아라고 하는 실비아 플래스라는 작가와 두 번째 연에 나오는 버지니아라는 버지니아 울프는 둘 다 19세기나 20세기경쯤에 영국에 있었던 여자 작가였거든요. 그래서 두 작가의 작품을 연속으로 읽고 나서 생애를 조금 찾아보니까 둘 다 자살을 했다고 나왔길래 조금 더 구체적으로 찾아보고 조금 더 책을 읽고 이러다가 갑자기 둘 다 시인이기도 했고 저도 시

를 쓰면서 들었던 생각들이 이리저리 나다가 이 시를 쓰게 된 것 같아요. 제가 일전에 인터뷰를 요청한 것도 뭔가 이 시를 쓰게 된 계기가 그 두 작가들 때문이었거든요. 그게 이제 온전히 전달이 안 될 수도 있을 것 같았어요. 그 두 작가 이름을 언급을 해보고 싶었어요.

Q: 그러니까 그 시인의 생애를 찾아 보면서 시를 더 쓰고 싶다고 생각이 들었네요. 어느 점에서 제일 그런 많이 느꼈던 것 같아요?

A: 두 시인의 생계가 굉장히 달라요. 실비아 플래스는 굉장히 우울증에 시달리면서 살다가 결국에는 20대 굉장히 젊은 나이에 스스로 자살을 해요. 그렇지만 버지니아 울프, 그분은 굉장히 우울증뿐만 아니라 정신병이 있으셨는데도 나중에 결혼을 중간에 하게 되거든요. 그러면서 잠깐 작품 활동도 쉬시고 굉장히 호전된 상태로 지내게 돼요. 본인도 굉장히 행복하다는 말을 그때 하기도 하셨고. 그러다가 남편이 죽고 나서 이후에 본인도 자살을 했죠. 그걸 보면서 뭔가 어쩌면 시를 쓰는 계기, 더 나아가 문학 작품을 만들려고 하는 계기를 생각하게 되었어요. 어떻게 보면 예술은 굉장히 좋은 예술들이 많이 고통에서 파생되는 경우들이 많잖아요. 그것들이 고통을 표출해서 그것을 승화시키는 것이 아니라 오히려 창작자를 더 고통스럽게 만드는 일환이 될 수도 있겠다는 걸 실비아 플래스를 보면서 느끼기도 했어요. 그리고 버지니아가 이제 중간에 작품 활동을 약간 잠깐 그만두었을 때가 본인이 행복했다고 표현하는 걸 보면서 그런 생각이 좀 많이 들었고요. 그래서 저 스스로도 시를 쓰는 것에 대해서 다시 한 번 생각해 보게 되기도 하고 그랬던 것 같

아요. 그런 생각을 하다가 시를 쓰게 되었죠.

Q: 예전에 누군가가 시나 소설을 통해서 그 멜랑콜리함을 더 표현해낼 수 있다고 했는데 그거와도 좀 연관이 되는 것 같아요. 페미니즘을 주제로 담아내려고 한 것 같기도 한데. 혹시 그것과도 이야기해 주실 게 있으실까요?

A: 그거는 사실 주제라고 하기는 조금 약간은 거리가 멀기는 했고요. 버지니아도 굉장히 자기만의 방이라는 소설을 쓴 것처럼, 굉장히 그 당대로는 파격적이라고 부를 만한 페미니즘적인 사상을 담은 소설이나 글들을 많이 썼지만, 결국은 어떻게 보면 구원자라고 말할 수 있는 사람이 남편이었고 결혼에 의해서 어느 정도 행복해졌잖아요. 뭐 그렇다 해서 버지니아 울프가 페미니스트가 아니다라고 하는 건 아니지만. 뭔가 내가 홀로 독립적으로 살아야 한다라는 사상이라든지, 아니면 창작하고 싶은 욕망이라든지 이런 것들보다도 그냥 이 시의 구절을 빌려보자면 미약한 행복이라도 잡아보는 것이 나을 수도 있겠다 하는 생각이 들었었던 거죠. 그래서 페미니즘은 버지니아가 그 표상으로 있었던 하나의 사상이자 제가 기존에 중요하다고 생각했던 가치관 중의 하나로서 시어로 표현하고 싶었던 것 같아요.

Q: 그것 자체가 주제 의식이라기보다는. 그러면 이 글을 읽는 독자한테 몇 가지 어떤 말을 해주고 싶다면, 어떤 말을 전달하고 싶나요?

A: 사실 제가 이 시를 쓰면서는 뭔가 독자에게 전달하고 싶은 명확한 메시지성이 있었다라고 얘기를 하고 싶다기보다는 우리가 당연하게 생각하고 있었던 것들에 대해서 한 번쯤 의문을 가져보는 계기가 되었으면 굉장히 좋겠다는 생각을 해요. 왜냐하면 우리가 지금 하고 있는 문예지 안에서의 문학이라든지 예술이라든지 이런 것들과 고통 간의 상관관계를, 제가 원래 기존에 생각하고 있었던 방식과는 조금 다르게 생각해서 이런 시를 쓰게 된 것 쉬었거든요. 그래서 그런 것들이 좀 잘 전달되면 좋겠고. 또 그런 부분들에 대해서도 한 번쯤 독자분들이 다시 한 번 생각해보면 좋겠어요. 진짜로 예술이 고통에서 파생되면 그 고통도 도움이 되고 유익한 것이 맞는가. 고통이 승화돼서 해소될 수 있는 것이 맞는가. 오히려 그것이 창작자를 혹은 독자를 더 고통스럽게 만드는 것은 아닌가 하는 생각도 해볼 수 있으면 좋겠고. 그것이 지금 표출된 이 양식인 것 같아요. 그러니까 문학에 대해서, 또 어떻게 보면 메타적으로 다시 한 번 인지를 해보는 계기가 되면 더욱 더 좋을 것 같아요.

-벚나무-

Q: 벚나무를 쓰게 된 계기는 어떤 건가요?

A: 이거는 굉장히 말 그대로의 내용이에요. 실제로 제가 중학교 시절에 지나다니던 하굣길에 정말 제 키만한 벚나무가 있었어요. 그 벚나무가 있는 도로는 굉장히 좁아서 항상 이렇게 부딪히면서 다녔었는데. 어느 날 보니까 거기 이렇게 밑둥이 잘려 있는 거예요. 그래서 그걸 보면서 정말 이런 생각이 들었던 것 같아요. 그래서 그거를 그대로 옮겨 적었어요.

Q: 그렇구나. 개인적으로 이게 언제 썼던 시였을까, 어떤 시절을 그렸던 시였을까 이것도 궁금했었는데. 적지 않은 충격을 받았을 것 같아요. 내적 친밀감도 많이 쌓여 있었을 텐데. 저도 읽으면서 많이 안타까웠던 시였던 것 같아요. 혹시 여기에 대해서 더 이야기 할 게 있을까요?

A: 이 시는 그냥 시 자체가 전달하는 모든 역할을 해 주면 좋겠다 하는 생각이 들어서 여기에서 제 말을 줄이고 싶어요. 사실 제 개인적인 생각이지만 시는 함축적인 부분이 많아서 그런지, 시 자체로만 설명이 되어야 좋은 시다라고 생각하는 생각하거든요. 사실 첫 번째 시처럼 뭔가 부가적인 설명이 많이 필요한 시가 좋은 시라는 생각이 잘 들지는 않아요. 그럼에도 불구하고 뭔가 그 의도를

전달하고 싶어서 이렇게 뭔가 부연 설명을 좀 많이 했던 것 같고요. 이 나머지 뒤에 있는 세 시들은 그냥 있는 그대로가 온전히 제 역할을 하면서 전달이 되었으면 좋겠어요. 물론 제 의도와는 다르게 해석을 하시거나 감상을 하셔도 그거 그대로도 굉장히 좋은 것 같아요.

Q: 그렇구나. 저도 사실 첫 번째 시는 이야기를 더 들어보고 싶다 이런 생각도 들었고. 그리고 두 번째, 세 번째, 네 번째는 좀 더 일상적인 이야기들이 많이 담겨 있어서 더 많이 와 닿았던 것 같아요. 그래도 이렇게 오프 더 레코드 형식으로 이런 느낌이었구나 하면서 듣는 것도 너무 재밌는 것 같아요. 그래도 세 번째 네 번째도 짧게라도 이야기해볼까요?

-그 여름비를 차라리 좋아하기로 했다-

Q: 그 여름비를 차라리 좋아하기로 했다. 이걸 쓰게 된 계기가 있으신가요

A: 이것도 여름 비가 내리는 굉장히 습하고 더운 날이었는데 머리를 이렇게 묶으면서 든 생각에서 시작되었어요. 저희가 추위에 대응하는 방식은 굉장히 여러 가지가 있잖아요. 우리의 몸에서도 열 발생량을 굉장히 늘리기도 하고, 옷을 껴입을 수도 있고 따뜻함을 얻을 수 있는 방식이 굉장히 많지만. 더위를 피하기 위해서 시원함을 얻을 수 있는 방식은 굉장히 의존적인 경향이 있다는 생각이 갑자기 들었어요. 그러니까 선풍기 바람을 쐬거나 에어컨 바람을 쐬거나 이런 경우도 밖에서는 할 수 없잖아요. 옷을 가볍게 입는 거에도 한계가 있고요. 이러다 보니까 뭔가 머리를 묶으면서 그래도 이건 내가 스스로 하는 유일한 무언가, 온전하게 자립적으로 시원해질 수 있는 방법이지 않나 하는 미묘한 카타르시스가 느껴졌어요. 그래서 뭔가 일부러 부채질을 하기도 했고요. 손 선풍기도 있었는데 굳이 부채로 이렇게 좀 더위를 식히려고 했고, 에어컨 바람이 굉장히 잘 나오는 곳에 들어가려다가 조금 주저하게 되고. 이런 생각이 들었던 것 같아요. 그래서 그런 여름 이미지를 생생하게 담아내려고 했어요.

Q: 조금 불편함을 감수하더라도 자립감을 더 느끼고자 했다는

의미는 생각지도 못했던 내용이네요. 저는 이 시를 보면서 수채화 느낌의 그런 풍경이 떠올랐던 것 같아요. 초록빛과 푸른빛이 이렇게 가득한, 그런 심상이 떠올랐었는데. 한편으로는 이렇게 자립이라는 그런 키워드에도 많이 관심이 있었겠구나라는 생각도 많이 드는 것 같아요. 혹시 어떤가요?

A: 맞는 것 같아요. 저도 원래 그 이미지를 전달하려고 했었는데 그게 그래도 좀 직관적으로 잘 전달이 되는 것 같아서 좋아요. 자립이라는 키워드에도 약간 포커스를 맞추면서 시를 읽어나가면 또 더 새로운 것들이 보일 수도 있겠다 하는 생각이 들고요.

Q: 그다음에 그럼 연어로 한번 넘어가도 괜찮을까요?

-연어-

Q: 연어는 이렇게 쓰게 된 계기가 있으신가요?

A: 이렇게 시나 문학을 쓰기에, 가장 편안할 수도 있고 가장 식상할 수도 있는 소재가 사랑이잖아요. 저도 이제 다르지 않아서 그것들에 대한 구절이나 시상 이런 것들을 써보다가 이제 어느 순간 이렇게 쭉 쓴 시들을 읽게 되었는데요. 어떤 것들은 어느 순간부터 이 말의 어미가 과거 시제로 바뀌어 있더라고요. 그래서 그게 갑자기 확 와닿으면서 정말로 이제 내 마음이 끝났다라는 생각이 들었어요. 그게 말로 어느 순간부터 표현이 되었어요. 중간쯤에 보면 '지나고 았다'라는 표현을 썼는데 뭔가 '았'나 '었'이라는 어미가 주는 종결적인 의미가 그냥 그 사람에게 온전히 딱 적용된 것 같았어요. 그래서 그런 생각으로 씨를 쭉 썼었던 것 같아요.

Q: 어땠어요? 진짜 종결이 됐구나 이걸 딱 느꼈을 때.

A: 그러니까 여기의 구절에 빌리자면, 이렇게 고요해진, 그니까 보통 우리가 인생에서 평안과 안정을 바라면서 사는데 편안해지고 안정해졌다가 그 안정마저 지루해졌다라는 게 인지되었을 즘에 이 시를 썼던 것이었거든요. 그래서 그 부분, 뭐라고 해야 되죠, 그러니까 이 완전한 종결은 고통도 끝나고 그것에 대한 그리움도 끝나고. 그 그리움에 대한 뭔가 빈자리를 계속 뭔가 더듬어보는 시기까

지 완전히 끝나서 이제는 뭔가 책의 마지막 장을 덮어버린 그 느낌이 들어야 끝이 나는 거구나 하는 생각이 들었던 것 같아요.

Q: 이때는 끝이 났다라는 생각이 드니까. 오히려 느낌이나 감정으로는 아무것도 느껴지지 않아서 끝났다라는 생각이 훨씬 더 강하게 왔었던 것 같아요. 이게 그것마저도 끝났다는 느낌마저도 덤덤하니까 더 끝났다라고 느껴질 것 같고요. 그러면 죽음이 머리 맡에 있을 때 이건 혹시 어떤 의미인가요?

A: 그거는 해석의 여지를 좀 남겨두고 싶어요.

Q: 오케이, 오케이. 알겠어요. 그럼 이제 얼추 마무리가 되었는데 이 시들을 전체적으로 읽을 때 가상의 독자들한테 혹시 하고 싶은 말이 있나요?

A: 시를 포함해서 모든 음악이나 글은 필자가 쓰기만 하면 그건 반쪽짜리라고 생각해요. 저는 항상 누군가 읽고 그것을 느끼고 생각하게끔 만드는 것까지가 문학의 완성이라고 생각하거든요. 그래서 저는 제가 쓰는 것으로 제 몫을 다 했고 이제는 독자분들이 이 시들을 완성해 주시면 좋겠어요. 물론 제가 의도한 바도 있고 원래 뜻한 바도 있지만 그것에 국한되지 않으면서 그냥 마음 가는 대로 읽으시기도 하고. 이해가 안 되는 부분도 있으실 수 있는데 그것도 이제 어떻게 보면 제 역량의 부족일 수도 있고. 그것 자체도 시 하나의 일부분일 수도 있겠다 하는 생각이 들어서. 그냥 자유롭게 마음껏 읽어주시면 좋을 것 같아요. 그리고 이 인터뷰가 맨 뒤에 첨부

된다고 하니, 시를 읽고 난 후 인터뷰 읽으시면서 이랬구나 하는 생각이 또 들면 재미있을 것 같아요.

400741km

지구의 둘레

이시찬

구충 프롤로그

0

나는 파시스트다.

짧은 이야기들.

1

구충제를 사야 한다는 연희의 말에 나는 아무 말 없이 함께 가 주었다. 약사 선생님께서는 따로 찾는 구충제가 있냐고 물으셨는데, 연희는 아무 말도 못 하고 입을 꾹 다물었다. 나는 얼른 옆에서, 그냥 제일 효과 좋은 걸로 주세요, 말함과 함께 중요한 게 아니라는 듯 헤 웃어 보였다. 선생님은 알약 두 개가 담긴 약상자를 내주셨다. 연희는 그 자리에서 약을 꿀떡꿀떡 삼켰다.

오늘은 농약을 사러 가는 길이다. 농약은 약국에서 팔지 않아 버스를 타고 담양까지 나가게 되었다. 정확히 어디서 파는지는 모르지만 일단 논밭이 있는 시골에 가면 될 것 같았다. 연희는 소같이 커다란 눈으로 바깥을 멍하니 바라보고 있었다. 나는 오늘도 아무 말도 하지 않았다.

구충제를 산 날 밤, 연희는 페이스북에 구충제 이야기를 적었다. 자신의 몸 속에 기생충이 득실득실해서 자신의 기력을 빨아먹고 있다고, 자신의 깡마른 몸도, 피로도, 우울함도 모두 그것 탓이라는 내용이었다. 며칠 뒤, 연희는 왜 구충제를 먹었는데도 아무것도 변하지 않느냐는 푸념 글을 올렸다. 나는 댓글로, 구충제가 벌레를 구하는 약 아니냐고 달았다. 연희는 그럼 살충제를 먹어야 했냐고 답글을 달았다. 너는 카프카가 아니라고 다시 답글을 달았다. 우리는 늘 우울한 이야기를 농담으로 가지고 놀았다.

버스에서 내리니 논밭이 보였다. 전에 연희가 자신이 어렸을 적 살던 곳도 이런 곳이라고 했던 것이 떠올랐다. 아버지와 어머니의 사이가 안 좋아서 이혼했는데, 일곱 살이 될 때까지 할머니 집에서 살았다고 했었지. 나는 연희에게 고향이 온 것 같아서 좋냐고 물었다. 연희는 내 고향? 하며 나를 빤히 바라봤다. 아 왜, 네가 페이스북에 썼잖아, 할머니랑 같이 살았다고. 그제야 연희는 아, 그거, 하고 입을 다물었다. 그럴 수 있지.

농약을 슈퍼마켓에서 팔지는 않았다. 아주머니께 농약 파냐고 물었더니, 어디에 쓰려고 그러냐고 물으셨다. 나는 양파밭에 뿌리려 한다고 말했다. 아주머니는 그런 거 함부로 못산다고 하면서 아버지랑 같이 저 너머 농약 방으로 가라고 하셨다. 나는 아버지가 시키셔서 온 거라고 거짓말을 하며, 감사 인사를 드리고 아이스크림 두 개를 집어 연희를 끌고 나왔다. 역시 나이 먹은 사람들은 눈치가 좋다. 농약은 함부로 못 산다는 거짓말로 정말 농사짓는 집인지 떠본 뒤, 은근슬쩍 뉘 집 아들이냐고 물을 단초를 마련했다. 하긴, 도시와 적당히 떨어진 농촌인지라 농약 먹고 자살한 사람이 꽤 많을 것 같긴 하다. 연희에게 아이스크림을 물려준다. 연희는 입에서 아이스크림을 굴리며 녹여 먹었다. 무슨 생각을 하는 건지는 모르겠지만, 나는 그저 연희를 도울 뿐이다. 연희가 번개탄을 사자고 했다. 나는 다시 슈퍼로 가 번개탄을 달라고 했다. 번개탄은 또 뭐에 쓰려고 하냐는 말에, 오늘 밤에 쓰레기를 태워야 한다고 말했다.

결국 농약 방에 가서도 농약을 사지 못했다. 학생티를 풀풀 풍기는 둘이 와 대뜸 농약을 달라고 하니 그럴 만도 했다. 한두 번 사는 게 아닌 양 자연스럽게 농약의 상표명을 말했지만 어림도 없었다. 나는 연희에게 이제 어쩔 거냐고 물었다. 연희는 번개탄 두 개가 든 봉지를 한 손으로 꽉 쥐고 있었다. 나는 불장난을 하자고 했다. 연희가 페이스북에 불장난 경험을 썼던 적이 있기 때문이다. 연희는, 그럴까? 하고 되물었다. 우리는 추수가 끝난 논으로 가 근처 지푸라기들을 모았다. 둘 다 담배를 피지 않아 라이터가 없을 줄 알았는데, 연희가 주머니에서 라이터를 꺼냈다. 하지만 지푸라기는 너무 빨리 타 없어졌다. 연희는 더 큰불을 원했고, 우리는 갈대밭을 찾았다. 연희는 번개탄에 라이터를 가져다 댔다. 바람이 불어서인지 불이 잘 붙지 않았다. 연희가 물었다.

"너는, 왜 따라왔니."
"심심하기 때문이란다."
"너는 왜, 심심하니."
"친구가 너라서란다."
"킥킥. 어이가 없네."

연희는 뭐라 말하려는 것 같았지만 쭈뼛쭈뼛 말하지 못했다. 우리는 언제나 농담과 진심을 섞어 꽁트를 했기에, 적당한 대사가 생각나지 않으면 대화를 이어가지 못하곤 했다. 그래서 내가 대신 말해주었다.

"야, 고맙다."
"뭐가요?"
"그냥, 이러니 저러니 해도 여기 같이 있어줘서."
"그래요?"
"그렇지. 그래서 이렇게 심심해 보기도 하고, 얼마나 좋냐."
"그렇군요."

"고생 많았다."
"제가요?"
"나는 말린 거로 해주라."

나는 입을 다물었다. 연희도 입을 다물었다. 번개탄에서 매캐한 냄새가 났다. 빨겋게 불이 올라왔다. 연희는 번개탄을 갈대밭으로 던졌다. 그 무거운 게 용케도 물로 떨어지지 않고 갈대들 위에 올라갔다. 우리는 누가 볼 새라 자리에서 멀리멀리 도망쳤다. 버스를 타고 다시 학교로 돌아왔다.

"번개탄 하나 남았는데 어따 쓸 거냐."
"이걸로 자살을 하는 거야!"
"하나로 돼?"
"전에 해 봤는데, 거의 됐어."
"저런. 어쩌다 실패했니?"
"아버지가 어머니가 바람피운 증거를 잡겠다며, 내가 있던 집에 왔거든."
"어차피 죽을 건데 그걸 열어줬어?"
"베란다 창문 깨고 들어오셨어."
"너네 집 삼 층이라매."
"응."
"다치진 않았고?"
"나쁘지 않지."
"저런, 몸조심하렴."
"그래."

"그건 과실에 두자."
"왜지?"
"다른 자살하려는 사람이 필요할 수도 있잖아."
"그게 나라면?"
"그럼, 과실에 놔두고 나중에 써."
결국 연희는 번개탄을 과실에 두고 집으로 돌아갔다.

2

본문 발생 한 달 전.

철현은 먼발치에서도 쉽게 알아볼 수 있다. 허리까지 닿는 긴 생머리와 오랜 운동으로 다져진 커다란 몸은 어둠 따위로 숨길 수 있는 것이 아니다. 철현이 한 손을 들며 인사한다. 나도 화답한다. 철현은 내 옆에 앉아 연못을 바라보았다. 우리는 늘 그렇듯 안부를 전하고, 두런두런 이야기했다. 오늘 뭐 했냐, 어제 뭐 했냐, 교수님은 잘 지내냐… 한창 이야기를 하던 도중, 수면에 파문이 인다. 개미다. 철현이 바닥에 기어 다니던 개미 한 마리를 연못에 던졌다. 물 위를 떠다니던 소금쟁이 한 마리가 개미에게 통통 튀어간다.

"시연. 소금쟁이랑 개미가 싸우면 누가 이길 것 같아?"
"글쎄? 아무래도 소금쟁이가 이기겠지?"

"꼭 그렇지만은 않어. 내가 세 봤는데, 개미가 이길 확률도 사십 퍼센트는 되더라."
"생각보다 높네."

이내 개미와 소금쟁이가 맞붙었다. 개미는 곧바로 소금쟁이의 앞다리를 물었고, 소금쟁이도 머리를 개미의 배에 가져다 대었다. 아마 입에서 침을 발사했을 것이다. 버둥대던 개미는 이내 팔다리가 뻣뻣하게 굳어버렸다. 아무래도 저 개미는 사십 퍼센트에 들지 못했나 보다. 철현은 그 모습이 재미있는지 점점 흥분하며 말했다.

"어차피 개미가 이겨도 살아갈 수는 없어."
"왜?"
"개미는 물에 뜨긴 하지만 방향을 정해서 헤엄치는 것은 잘 못하거든. 어디가 육지인지도 잘 모르고."
"그렇구만."
"그리고 소금쟁이의 침에 한 번이라도 뚫리면, 당장은 이기더라도 결국 죽는 거야."
"슬픈 일이네."
"그렇다면 한 번도 침에 맞지 않으면 살 수 있을까? 아니! 결국 제2, 제3의 소금쟁이가 다가와 죽게 되지."
"대체 얼마나 개미를 던져 봤길래 그렇게 자세히 아는 거야?"
"신입생 때부터 던졌으니 십 년은 되었지. 아무튼 중요한 건 그게 아니야."
"그럼, 뭔데?"
"사실 개미는 내 손에 잡힌 순간부터 이미 죽을 운명이었다는게 중요하지."

철현은 개미가 인간의 손에 잡힌 것부터가, 아주 거대한 거인이 인간을 잡아 들어 올린 것과 마찬가지라고 말했다. 이미 그것만으로도 곧 죽게 된다고. 연못에 빠져 소금쟁이를 마주할 때부터 고난이 시작된 것처럼 보이지만 사실 그런 것은 아무 상관 없다는 것이다. 지금 소금쟁이에게 먹히든, 이 소금쟁이를 쓰러뜨리든, 모든 소금쟁이를 다 이기든, 육지로 오더라도 이미 지치고 상처받은 개미는 결국 죽는데도 부질없는 몸부림만 친다고, 철현은 말했다.

"그러니까 벌레인 거겠지."

철현의 입꼬리가 씁쓸하게 올라갔다. 수희를 떠올린 건지 연희를 떠올린 건지는 모르겠다.

철현은 고양이를 잡겠다고 말했다. 걱정되긴 했지만 일단 같이 있으니 괜찮지 않을까 싶다. 철현은 고양이를 잡으려면 물기가 많은 먹이를 고르는 게 성공 확률이 높지만, 휴대의 편의성을 위해 소시지 정도로 만족하겠다며 들뜬 상태로 조잘조잘 말을 이었다. 나는 그럴 돈 있으면 차라리 닭가슴살을 사서 먹는 게 인생에 더 도움이 되지 않겠냐고 물었지만, 철현은 들은 체도 하지 않았다. 나는 오늘도 고양이들의 무운을 빌었다.

철현은 학교를 돌며 고양이를 잡았다. 길을 가다 고양이가 보이면 소시지를 손가락 마디만큼 잘라 그쪽으로 굴렸다. 고양이는 소시지를 먹기 위해 그곳으로 후다닥 달려갔고, 철현은 그 고양이의 목덜미를 잡아 들어 올렸다.

“이 고양이는 제법 미묘네. 원래 여기 사는 애가 아닌데.”
“길고양이인데 어디서 와도 이상하지 않지. 그걸 어떻게 다 알아?”
“고양이는 영역 동물이라 모르는 고양이가 나타나면 싸워. 이렇게 새 고양이가 나타나는 것은 흥미로운 일이야.”

나는 고양이에 대해 잘 모르기에 그저 가만 듣고만 있었다. 이따금 철현은 길바닥에 있는 고양이를 그냥 줍기도 했다. 철현은 무엇이 마음에 안 드는지 본래 이렇게 쉽게 잡히는 족속이 아니라며 고양이의 이마를 손가락으로 때렸다. 인간의 손을 탄 더러운 고양이에겐 벌을 줘야 해. 그렇게 말하며 철현은 나무 위로 고양이를 던졌다. 제법 손기술이 뛰어난 건지, 고양이는 떨어지지도 않고 늘 나무에 착 붙었다. 나는 고양이는 높은 곳에 가면 내려오지 못하는 거 아니냐고 물었다. 철현은 고양이는 알아서 잘한다며 고양이를 그대로 두고 자리를 떠났다. 나는 나보다는 고양이를 잘 알거라 생각해 그러려니 했다.

철현은 무언가를 찾는 것 같았다. 골목에 주차된 차 바퀴 사이에 설치해둔 뉴트리아 덫을 열어봤다. 이게 아니야, 이것도 아니야. 철현의 작업 중에도 지나가는 사람 하나 없다. 물어보니 애초에 사람이 잘 지나가지 않는 곳에 덫을 설치했다고 했다. 사람이 많으면 고양이 잡는 것을 두고 시비를 건다는 것이었다. 철현은 한참 동안 고양이와 돼지가 도대체 뭐가 다르냐며 투덜거렸다. 솔직히 귀여운 것밖에 다를 거 없지 않냐고. 나는 돼지의 귀여움을 무시하지 말라고 말했다. 그러자 철현은 웃으며 돼지 도살장에 가본 적 있냐고 물었다. 자신은 어릴 적 고모부를 따라 자주 갔었는데, 도살장 근처는 언제나 시끄러웠단다. 백 미터 바깥에서부터 돼지 악취와 울음소리가 들리는데, 정말 처절하다고. 그런데 그래도 돼지고기는 맛있게 잘 먹었다고. 철현은 채식주의자들의 위선을 토로하다가, 사회활동가들의 이중성을 규탄했고, 마지막으로 자신이 겪었던 불합리한 일들을 쏟아냈다. 철현과의 대화는 늘 그랬다. 어딘가에 고정되지 않고, 꼬리에 꼬리를 물며 저 머나먼 곳으로 날아갔다. 그것이 싫지 않았다. 어차피 사담이니까.

그날, 고양이는 한 마리도 잡히지 않았다. 다행이었다. 철현은 고양이를 죽인다. 어떤 때는 목을 졸라서, 어떤 때는 물에 담가서, 또 어떤 때는 칼로 찔러서 죽였다. 죽이지 않는 날에도 고양이를 벽에 던지거나 내장이 튀어나올 때까지 발로 차고, 며칠씩 덫 안에 가둬 쫄쫄 굶긴다. 냄비에 넣어 끓이기도 하고, 발 끝부터 하나하나 잘라보기도 한다. 직접 본 것은 아니었지만 철현이 그렇게 말했다. 그는 그것이 용서받지 못할 일이라는 것을 알고 있다. 자신의 끝이 좋지 않을 것이라고 입에 달고 다녔다. 왜 죽이느냐고 물은 적이 있었다. 철현은 죽이지 않으면 도저히 견딜 수가 없다고 답했다. 고양이가 싫냐고 물었다. 자신은 고양이를 사랑한다고 말했다. 정말 진심이라고. 알러지가 있는데도 늘 고양이를 만지고 싶다고. 그런데 왜 고양이를 죽이냐고 물었다. 철현은 생명을 죽이는 쾌락이 마약에 근접할 정도의 쾌락을 가졌다고 설명했다. 처음 고양이를 죽인 것은 본가에 갔을 때였는데, 죽이려는 생각은 없었다고 했다. 인터넷 조리돌림을 당한 이후 고양이를 다시 사랑하면 극복할 수 있으리라 생각하여 데려온 고양이를 씻기는데, 갑자기 후다닥 도망갔다고 했다. 한참 동안 쫓고 쫓기다가 고양이는 베란다 난간까지 갔고, 이제 잡았구나 싶어 다가갔다. 철현도 몰랐다고 한다. 설마 그대로 투신할 줄은. 집은 11층이었다. 그래도 고양이니까 높은 곳에서 떨어져도 살지 않았을까 하는 허망한 기대를 가지고 허겁지겁 내려가 보니, 그것은 이미 형체를 알 수 없게 찌그러져 있었다. 철현은 허겁지겁 종량제 봉투를 사 와 고양이를 담았다고 했다. 그런데 그 이후부터 죽은 고양이가 자꾸 떠올랐다고 했다. 고양이를 잡고 싶었고, 안고 싶었다. 물고 싶었고 때리고 싶었단다. 던지고 싶었고, 그리고 죽이고 싶었단다. 그리고 처음 고양이를 목 졸라 죽인 날, 고양이가 굳으며 무언가 빠져나가는 느낌이 들자, 마치 처음 사정했을 때와 같은 쾌락이 온몸에 휘몰아쳤다고 했다. 순간 짜릿했다가 금방 나른하고, 입꼬리가 올라가는 그 감각. 거울에 비친 그의 모습은, 알러지탓에 눈도 붉게 물들고, 털이 여기저기 묻은 채 산발이어서, 마치 판타지 작품에서 나오는 몬스터가 된 것 같았다고. 해방된 듯한 그 기분이 좋았기에, 철현은 일주일에 한 번씩 고양이를 죽인다고 했다.

아니, 반대일지도 모른다. 철현은 이제 고양이를 죽이지 않으면 무척이나 불안해했다. 죄책감에 휩싸이고, 우울과 격양의 극과 극을 달렸다. 좋아서 죽이는 것이 아니라 살려고 죽이는 것 같았다.

나는 그 기분이 어떤지 모른다. 그리고 앞으로 알 생각도 없다.

하지만 철현을 탓하진 않기로 했다. 그저, 사람들에게 들키지 말라고만 말했다. 개인적으로는 고양이를 죽이지 않았으면 좋겠다. 사실 나는 고양이를 별로 좋아하지 않는다. 슥 몸을 문대고 갈 때마다 털이 묻는 것도 싫고, 앉아있는데 맨날 품으로 달려들어서 불편하게 하는 것도 싫고, 빛을 받아 뱀 같은 눈으로 나를 보는 것도 싫다. 하지만 그렇다고 죽이고 싶지는 않다. 그런 사소한 불편 때문에 뭘 굳이. 하지만 철현이 고양이를 죽이는 것은 자신의 편리나 거슬림과는 아무 상관이 없었다. 그저, 그러지 않으면 버틸 수 없어서 죽이는 것 같았다. 왜 그러냐고 동기를 묻는다면 나는 모른다. 하지만 적어도, 무언가 잘못된 걸 알면서도 하지 않으면 버틸 수 없는 감정을 안다. 그 힘듦을 아는 내가 대체 뭐라고 할 수 있을까? 만약 철현이 고양이를 죽이지 않는 대신, 예전처럼 손목을 긋고 목을 다는 것을 계속한다면, 나는 그러라고 해야 할까? 아니, 아니다. 생명의 무게는 동등하지 않다. 고양이 따위의 목숨으로 친구가 살아갈 수 있다면, 죽이지 않으면 더 좋기야 하겠지만, 죽이는 것은 눈 감을 수 있다. 철현도 이게 병적이라는 것을 알고 있고, 고치려고 하고 있으니 분명 나아질 것이다. 그때까지만 어떻게든 버틸 수 있게 하자. 무슨 수를 써서든.

3

번개탄을 과실에 그냥 두면 안 될 것 같았다. 그냥 집으로 가지고 갈 수도 있겠지만, 연희가 죽으려고 산 것을 집에 들이고 싶지는 않았다. 빨리 없애고 싶었다. 꺼림칙했지만 내가 써서라도 없애고 싶었다. 학생회실을 뒤지니 라이터를 하나 찾을 수 있었다. 적당히 불 피울만한 곳이 어디 있을까 생각하다 학교 호수가 생각났다. 종종 불꽃놀이 하는 사람들이 있었는데, 딱히 문제가 된 적은 없었던 것 같다. 불을 피우고 보도블록에서 조금 태우다가, 불날 것 같으면 일단 호숫물로 꺼도 될 것이다. 그래도 일단은 텀블러에 물을 채워 갔다.

철현은 이 호수에 고양이를 집어 던졌었다. 고양이들은 물을 싫어하던데, 혹시 수영을 못해서 그런가 싶어서 그랬단다. 철현은 고양이도 수영 잘만 한다고, 무슨 개 보는 줄 알았다며 호탕하게 웃었다. 과거, 철현은 한참 동안 자신의 과거와 아픔에 관해 이야기하곤 했다. 그러나 몇 년 전부터 점점 슬픔에 대한 이야기가 줄어들기 시작하더니, 이제는 그런 이야기를 거의 하지 않게 되었다. 나는 내가 동감을 잘 못 해줘서 그런 것인지 걱정이 들었으나 티를 내지 않았다. 걱정은 부담을 낳고, 부담은 부자연을 낳았다. 그 크기가 너무도 커졌을 때, 우리는 서로가 거북했다. 이제는 함께 시간을 보내며 얼핏얼핏 보이는 파편만으로 우리는 서로의 모습을 더듬어야 한다. 오래 알수록 이야기할 수 있는 것은 줄어만 간다.

번개탄을 태우기 전, 마음을 안정시켜보려 불꽃놀이를 했다. 화약이 발린 철사에 불을 붙이면 프스스 불 싸라기들이 떨어진다. 찬란한 빛을 보자면 대학 시절의 노스텔지아가 떠오른다. 하지만 이제는 아무 의미 없다. 수희도, 철현도. 그리고 연희도 말이다. 그때는 정말 친한 것 같았는데, 왜 이렇게 되었을까 새삼 생각이 들었다. 다들 많이 힘들었을 텐데, 왜 더 힘들어질 길만 선택했던 걸까. 바닥을 구르던 불벌레들이 스러져 사라진다. 가장 뜨거운 불부터 가장 빠르게 식어간다.

번개탄을 굳이 보도블록에서 태울 필요가 있을까? 호수 가운데 있는 저 섬까지 던져봐도 되지 않을까? 어차피 호수 때문에 번지지도 않을 텐데. 연희와 던졌던 번개탄은 뉴스에 나오지 않았고, 금방 불이 꺼졌는지 아니면 강이 불바다가 되었는지 알 수 없다. 사람들이 적당히 좋아하는 것은 태워도 아무런 반응이 없으니 말이다. 그런 면에서는 섬이 아니라 화단에, 잔디에, 나무에 던지는 것이 더 나을지도 모르는 일이었다. 그래서는 안 된다는 생각이 억지로 감정을 구겨 넣다가도, 문득 꼭 감정을 구겨 넣어야 하나라는 생각이 들었다. 한 번쯤 그럴 수도 있지 않나?

구충 (1)

0

나는 파시스트다.

벌레 같은 것은 모조리 죽여버려야 한다.

대학원을 졸업하고 인문학 연구소에서 일하게 되었다. 배운 것으로 돈벌이할 것이라 기대는 하지 않았는데, 막상 사회에 나와보니

할 수 있는 일이 있었다. 여덟 명이 소속된 연구소에서 내가 맡은 일은 시민을 대상으로 강연하는 것이었다. 본래 이야기를 만드는 것을 좋아했기에 이론과 경험을 적절히 섞어서 강연을 할 수 있었고, 반응도 꽤 괜찮았다. 특히 고등학생과 대학생, 혹은 20대 초중반의 청년들이 강의를 많이 들으러 왔다. 자기계발서 같은 이야기도 아니고 성공담도 아닌, 그저 상처받은 사람의 아픔은 이야기되고 논의 됨으로써 치유 받을 수 있다는 단순한 내용을 일 년간 반복했을 뿐인데, 많은 사람들이 꾸준히 와서 들어 주었다. 점차 강연 정기권을 끊는 사람이 늘어났고, 그에 따라 연구소의 형편도 꽤 나아졌다. 벌이가 괜찮아지자, 연구소 사람 중에서도 강연을 하고 싶다는 사람이 하나둘 생겼다. 마음 같아서는 계속 강연을 하고 싶었지만, 다른 선생님들에게도 기회를 주라는 소장님의 말에 결국 강단에서 내려왔다. 그래, 선생님들도 힘드니까. 아쉽지만 나쁘지 않았다.

강연을 그만둔 후, 한동안 프로젝트를 하며 시간을 보냈다. 가만히 앉아 책을 읽고 연구하는 것은 좀이 쑤시는 일이었다. 대학원에 잘 적응을 못했던 것도 앉아서 책만 읽는 것이 너무 힘들어서였다. 차라리 강연이나 취재같이 활동적인 것을 해보고 싶다는 생각이 들던 중, 시청에서 새로운 일이 들어왔다. 중학교에 잘 적응하지 못하는 아이들을 대상으로 주 3회 오후 시간동안 인문학 강연을 해달라는 것이었다. 마음 같아서는 금방 사무실을 뛰쳐나가고 싶었지만, 아이들이 엮여있는 문제에는 신중해야 했다. 사실 인문학을 배운다고 해서 삶의 의미를 찾거나 살아가야 할 방향성을 잡는 것은 판타지에 가까운 일이니까. 그러나 소장님께서는 물 들어

올 때 노를 저어야 한다고, 강연도 잘 되고 있으니 이 기회에 더 확장해 보자고 말씀하셨다. 강연에 참석하는 사람들이 대중에서 소위 엘리트라 불리는 사람들로 바뀌었다는 말은 들었는데, 거기서 쌓인 후원금과 인맥이 꽤 되는 모양이었다. 그리고 이번 일 역시 그 인맥을 통해 받은 것 같았다. 그렇다고 내 월급이 오르는 것은 아니지만 소장님 입장이 이해는 되었다. 내가 거절하면 다른 사람이 가야 할 텐데, 다른 사람들은 대중성 같은 것은 개나 줘버리고 한 우물만 깊게 파 나올 수 없는 사람들이니까. 고민이 되었다. 아무리 청소년과 청년이 많이 보는 무대에 섰다지만, 이야기를 풀면 되는 시민 강연과 학생들과 유대를 쌓고 가르치는 것은 전혀 다른 일처럼 느껴졌기 때문이다.

정말로 하기 싫었다면 어떻게든 거절할 수도 있었다. 하기 싫다고 하면 어떻게 할 건가? 심지어 내가 하는 일도 이미 있는 마당이라 일만 생각하면 거절하는 게 맞기도 했다. 그러나 강연 대상이 엘리트층으로 바뀌고 있다는 것을 처음 알았을 때 들었던 착잡함이 나를 붙잡았다. 상처받은 사람들이 쉬어갈 수 있는 강연을 하며 도움을 주는 것이 꿈이었는데, 그것이 일종의 사교 모임처럼 변했다는 말을 들었을 때의 그 느낌이란. 게다가 학교에 잘 적응하지 못하는 아이들을 도와주는 일이라는 것이 나의 과거를 떠올리게 만들었다. 나 역시 똥통 학교에서 힘들게 보냈기에 내가 겪은 아픔이 재생산되는 것을 못 본 척하고 싶지 않았다. 애초에 인문학을 공부한 것도 학문을 통해 세상을 바꿔 소외 없는 세상을 만들고 싶어서였지 않았나. 그 다짐 깊은 곳에는 내 경험도 있었을 것이다. 내가 이것을 거절하면 공부를 시작한 근간을 부정하는 게 아닐까

하는 생각까지 들었다. 그렇게 고민하고 또 고민한 끝에, 결국 받아들였다. 어차피 내 의사가 아니더라도, 소장님이 말씀하신 그때부터 받아들이지 않을 수 없는 상황이었다.

처음에는 반쯤 떠밀리듯 맡겠다고 말했지만, 강연 날이 다가올수록 희망적인 생각이 들었다. 애들 대하기가 어렵고 힘들겠지만, 그래도 나와 비슷한 고통을 겪은 이들에게 가장 직접적으로 힘이 되어줄 수 있는 게 아닐까? 근거 없는 희망은 점점 부풀어 올라, 이것이 내가 진정으로 하고 싶은 일이었던 것처럼 느껴지기까지 했다.

하지만 그때는 몰랐다. 학교에 잘 적응하지 못하는 아이라는 말이, 아이들에게 괴롭힘을 당하거나 자신이 갈 길을 찾지 못해 방황한다는 뜻이 아니라, 다른 아이들을 괴롭히고, 때리고, 성폭행하고, 패싸움하고 다니는 소위 '문제아'를 칭한다는 것을 말이다.

2

수업은 수희와 함께 진행하게 되었다. 수희는 교육학을 복수전공하기도 했고, 학부 시절 교직 이수를 받으며 교생실습도 다녀온 친구였다. 수업도 나보다 잘할지도 몰랐다. 처음 고민을 하던 시기에는 은근슬쩍 소장님께 수희 혼자 학교에 보내면 어떻겠냐고 운을 띄워 보았지만, 소장님은 단호했다. 수희 부모님이 지역에서 유명한 전교조의 조합원인지라 자칫 수희의 입김이 너무 세지는 것을 우려하시는 것 같았다. 나는 가끔 소장님의 속을 모르겠다. 인문학에 대해 말할 때는 둘도 없이 자유로운 사색가인데, 막상 일을 하는 것을 보면 냉철한 정치가처럼 행동하셨다.

수희는 대학교 학부에서 알고 지냈지만, 사이가 썩 좋지 않다. 좋았던 것도 이 학년 정도까지였지. 그래도 연구소에서 만난 이후에는 서로 티 안 내고 데면데면하게 있으려 노력했다. 그래서 함께 일하고 싶지 않았다. 둘이 뭔가를 하기도 싫었고, 하다가 생길 마찰들이 뻔히 보였다. 여태 겨우 그냥저냥 있었는데, 굳이 싸울 위험을 감수해야 하나 싶었다. 하지만 수희는 이 청소년철학교실을 진심으로 하고 싶어 했다. 자신이 공부하고 꿈꿔왔던 교육 환경을 만들 수 있다는 기대에 찬 것 같았다. 그래서 더 함께하기 싫었다. 늘 기대에 경도된 사람은 무언가 일을 치니까. 하지만 수희는 빠질 생각이 없고, 나는 빠질 수 없으니 안 맞더라도 결국 수희와 함께 해야 했다.

수희는 쉬는 시간마다 애들을 데리고 담배를 피우러 나갔다. 어차피 진짜 선생도 아닌데 애들과 친해질 수 있으면 된 거 아니냐는 것이었다. 나는 기겁하여 수희를 말렸으나 그는 단호했다.

'담배로 건강이 해쳐지는 것은 이 아이들이 감당할 것이지 남이 간섭할 것이 아니다.'

'무작정 담배를 막은 것이 아니라 담배에 대한 안 좋은 시선부터 없애야 한다.'

잠깐의 다툼이었지만 과거 생각이 저절로 되살아났다. 수희는 늘 이런 식이었다. 책에서 읽은 한 두 줄의 문장을 당장의 현실 맥락을 치워버린 채 모든 상황에 대입하려 했다. 나는 당장 안 좋은 시선이 만연하고, 학교 학생들도 애들을 무서워하는데, 쉬는 시간마다 모이게 해서 담배 피우는 걸 함께 하면 다른 아이들이 어떻게 생각하겠느냐고 말해보았다. 수희는 역시나, 그건 이상하게 보는 사람이 잘못이라며 일축했다. 그렇게 월수금 오후 수업 쉬는 시간에는 어른과 학생이 뒤섞여 우르르 학교 바깥으로 나가 맞담배를 피우는 진풍경이 펼쳐졌다. 나는 도저히 함께 할 수 없어 교실에 남은 몇몇 아이들과 시간을 보냈다.

불행인지 다행인지, 이곳에 온 아이들 중에서는 정말로 학교에 적응하기 어려운, 그러니까 대인 관계가 원만하지 못하고 아이들에게 괴롭힘을 당하며, 살아가는 이유에 대한 의문으로 무기력에 빠진 아이들도 몇 명은 있었다. 나는 그 아이들을 위해서라도 열심히 하겠노라 다짐했다. 하지만 그것은 내 생각일 뿐이었다. 그런 아이들이 '문제아'들과 함께 섞여, 풀풀 풍기는 담뱃내를 이겨내며 몇 시간이나 함께 하는 것은 고문이나 다름없었다. 결국 그런 아이들은 일주일도 되지 않아 반으로 돌아갔다. 나는 도움이 필요하면 꼭 연락하라며 명함을 주었지만, 만난 지 고작 3일 된 나는 애들 눈에 똑같은 어른, 똑같은 선생이었다. 그래도 한 아이에게는 메이크업 아티스트를 하는 친구를 소개해 주었다. 화장을 좋아하고, 관심이 있으나 정보가 없어 막연하게 생각하는 아이였다.

교실로 돌아간 아이들을 제외하고는 대개 쉬는 시간이면 담배를 피우러 나갔다. 나 중학생 때를 생각하면 원래 이렇게 쉬는 시간마다 꼬박꼬박 피우지는 않았던 것 같은데, 아무래도 어른이 자신들의 담배를 인정해 준다는 것과 피우면서 수희가 해주는 이야기가 재미있는 듯했다. 나는 정확히 무슨 이야기를 하는지 모르나, 수희가 수업할 때 나오는 말들을 생각하면, 수희 자신도 학교 다닐 때 담배를 피웠다던가, 대안학교에서 있었던 이야기를 하며 공교육을 비판하는 것 같다. 수희는 그렇게 하면 애들도 동질감을 느끼고 경계를 허무리라 생각하는 것 같지만, 글쎄. 나는 회의적이다. 이 애들이 선생과 동질감을 느낀다고 뭐가 달라질까? 오히려 자신들이 계속 이렇게 살아도 된다고 생각하고, 자기들이랑 똑같은, 그래서 말을 들을 필요도 없는 사람으로 보지 않을까? 아니면, 수희는 그렇게 생각하게 하려고 그러는 것일까?

한 번은 담배를 피지 않고 책상에 엎드려 있는 아이가 있었다. 다른 학교와 패싸움을 해 강제 전학 온 아이였다. 두 명 코를 부러뜨리고, 이빨 하나를 날렸다나. 술 냄새 풀풀 풍기며 책상에서 뒹굴거리는 것이 영락없는 벌레였다. 이런 새끼들은 왜 살까. 나는 손바닥을 머리에 탁 올렸다. 나는 친해질 생각이 없어서 그냥 물어보았다.

“야. 술 마셨냐?”

아이는 신경질을 내며 내 손을 뿌리쳤다. 수희가 그렇게 낱낱 하게 대해주니 이제 나까지 그렇게 대하나 싶어, 오히려 아이의 머리를 꾹꾹 눌렀다.

"아니긴 뭐가 아니야. 선생님을 개호구로 아나. 냄새 풀풀 풍기면서 말이야."

계속 누르니까 화가 났는지 아이가 자리에서 벌떡 일어났다. 그 타이밍에 맞춰 나도 같이 일어났다. 아이의 머리가 내 가슴에 있었다. 다시 자리에 앉으라고 하자 아이는 순순히 자리에 앉았다. 한 성깔 하면서도 자기보다 세 보이는 사람에게는 꼬리를 만다. 잘 생각한 것이다. 엎드려서 씨발씨발 거리는 소리가 들린다. 벌레를 사람으로 대우할 수는 없지만, 그래도 애를 여기서 팰 수는 없으니 참았다.

"이따 끝나고 남아."
"…아니 쌤, 쉬는 시간이잖아요."
"남으라고. 담임선생님께 말해 둘 테니까 청소 시간에 와."

내가 제대로 설명을 안 한 것은 맞는데, 보통은 술 마신 걸로 뭐라 하다가 남으라고 했으니 그것 때문이라고 생각하지 않나? 아니면 그것보다도 쉬는 시간에 말 거는 게 더 잘못되었다고 말하는 건가? 요즘 애들 정말 어렵다. 아니면 술 마시고 온 것이 잘못도 아닌 시대인가. 모르겠다. 이런 애들 머릿속은 짐작이 안 간다.

수요일 마지막 시간은 수희가 수업을 한다. 수희는 아이들과 좀 더 친하게 다가가겠다며 SNS에서 유행하는 것들을 가져와 설명을 시작했다. 틱톡커가 엉덩이를 흔들며 춤을 추자, 애들은 웃으며 선생님도 이런 거 보냐고 왁자하게 떠든다. 수희는 니들 보여주려고 찾아봤다면서 요즘 애들 많이 보냐고 물었다. 아마 활동 계획서에 따르면, 틱톡이나 유튜브 쇼츠 같은 것을 통해 짧은 시간 동안 많은 정보를 가질 수 있게 되었고, 알고리즘을 통해 남들과는 다른, 자신의 색을 찾고 표현하는 데에 훨씬 좋은 세상이 되었다는 것을 말하겠노라 했다. 나는 동의할 수 없지만, 아무튼. 하지만 내 동의 여부와는 상관없이 수업은 실패였다.

“저기 오타쿠 새끼가 저런 거 개 잘 알아요.”

나도, 수희도 몰랐던 사실이지만 그날 수희가 보여줬던 틱톡커는 일본의 로리타 컨셉으로 애니메이션 틱한 반응을 보여주는, 오타쿠들의 1픽이었다. 애들이 처음에 웃은 것도 자신들이 아는 것이어서가 아니라 그런 사람을 두고 예술이니 뭐니 한다며 수희를 비웃는 것이었다. 하지만 나도 수희도 그것을 몰랐고, 왜 여기서 오타쿠가 나오는지, 그리고 끙끙대던 아이가 닥치라며 책을 집어 던지는지 알 수 없었다. 그리고 모지리마냥 말을 따라 하고, 장애인이니 뭐니 가족 욕도 나오니 순식간에 분위기가 험악해졌다. 다른 애들도 뭐하냐고, 그만하라고 하지만 둘 다 눈에 뵈는 게 없는 것 같았다. 나는 수희 쪽을 보았다. 우리, 서로 수업에는 관여하지 않기로 했는데. 혹시 그간 열심히 친해진 수희가 어떻게든 하지 않을까 싶었다. 하지만 수희는 얼어붙은 채 아무것도 못 했다. 내가 수희의 손을 탁탁 치고서야 자리에 앉으라고 소리쳤지만, 그것은 반에 앉아있는 학생1의 말과 다를 바 없었다. 결국 둘은 성큼성큼 걸어가 서로의 멱살을 움켜잡았다. 한숨이 나왔다. 일단 급한 불부터 끄자는 심정으로 나는 둘 사이로 비집고 들어가 애들을 떼어 놓았다. 떨어지고 나서도 계속 오가는 욕지거리. 시끄럽다. 둘의 목깃을 잡은 채로 아래 바닥으로 누르니 둘 다 중심을 잃고 넘어졌다. 바둥대도 머리가 눌려 있으면 일어날 수 없다. 진짜 벌레랑 다름이 없다.

대체 나는 뭘 위해 이런 것들을 위해 수업을 하는 거지?

회의감이 나를 짓누른다. 내가 도와주고 싶은 아이들은 내게서 떠나가고, 내가 가장 혐오해 마지않는 아이들은 내 앞에서 뒹굴거리고 있다. 내가 공부한 것을 왜 이 아이들의 앞날을 위해 사용해야 할까? 마치 나쁜 탐관오리를 몰아내고 좋은 세상을 만들겠다며 호기롭게 일어난 홍길동이, 돈 문제 탓에 탐관오리를 보좌하는 호위무사가 된 기분이다. 일단 좀 조용했으면 좋겠다.

3

수업이 끝나면 수희와 함께 피드백을 한다. 둘이 있는 시간이 불편하긴 하지만 차라리 깔끔하게 정리하는 것이 나았다. 이제 수업도 두 달 가까이 하고 있으니, 서로에 대해 포기할 건 포기한 상태이기도 하고. 아마 내가 수희를 '이상에 젖어 되도 않는 헛소리를 하는 위선자'라고 생각하는 것처럼, 수희도 나를 '융통성 없이 사람을 멋대로 재단하는 폭력적인 파시스트'라고 여길 것이다. 그냥, 적당히 보고서를 쓸 정도로만 말을 맞추면 된다. 서로 맞추고 그럴 필요 없다.

"오늘 일은 학교 선생님들께 말하는 게 낫겠지?"

먼저 말을 꺼낸 건 나였다. 여태 몇 번 말썽이 있긴 했지만, 우리가 뻔히 있는 앞에서 드잡이질까지 한 것은 처음이었다. 갑작스레 시작된 시비나 이렇게까지 격하게 반응하는 것을 보면 우리가 모르는 무언가가 있을 것도 분명했다. 이러니저러니 해도 우리는 강사지, 선생이 아니다. 이런 일은 아이들을 잘 아는 담임 선생님께 말씀드리는 게 나을 것이다. 하지만 수희는 그렇게 생각하지 않았다.

"아니야. 그냥 넘어가자. 애들의 신뢰를 먼저 얻어야지."

신뢰. 그놈의 신뢰. 순간 머리 뚜껑이 살짝 열리는 것 같았다. 마음 같아서는 그놈의 신뢰가 이번에 해결해 준 게 뭐냐고 묻고 싶었다. 이번에 애들을 말린 것은 내 완력과 격투 기술이었고, 애들이 결국 입 닫게 만든 건 애들과 거리를 유지해 왔던 나의 일갈이었다. 선생에게는 선생의 역할과 위치가 있고, 학생에게는 학생의 역할과 위치가 있는데 그걸 굳이 찢고 들어가려는 것이 이해되지 않는다. 심지어 바로 오늘, 그것이 처절히 실패했다는 것을 눈앞에서 보았으면서 말이다.

하지만 그것도 내 생각. 이해 못 했다고 쏟아내는 것은 아무런 도움도 되지 않는다. 심호흡하고, 그냥, 말해야 하는 걸 말하자.

"오늘 싸웠던 애 중에 그, 패싸움했던 애 있잖아."
"창현이?"
"이름 몰라. 창현인가? 아무튼 걔. 다음 수업부터 안 나올 수도 있어."
"뭐?"
"체육관 보냈거든. 거기 맞으면 우리 수업 시간에 거기 가라고 하게."

내 말을 들은 수희는 도끼눈을 떴다. 저번에는 미용실로 애 하나 보내고 얼마 전에는 카페로 보내더니 이번에는 또 뭐냐고. 왜 계속 애들을 다른 곳으로 빼 가냐며 두두두 말을 박아 넣었다. 대충 왜 그런 지는 안다. 수희 입장에서는 애들에게 인문학을 가르쳐서 자신이 진정으로 바라는 길을 깨닫고, 자신의 고민과 어려움을 책을 통해 해소함으로써 진정한 자아를 실현할 수 있다고 믿으니까 그런 거겠지. 하지만 나는 아니다.

"해봐야 하고 싶은지 알지."

수희가 헛웃음을 탁 터뜨렸다. 수희도 먼 옛날부터 계속된 기나긴 언쟁을 떠올린 것이리라. 나는 이런 벌레 같은 새끼들에게 알아듣지도 못하는 공자 니체를 들먹이며 인문학을 가르치는 것보다, 할 수 있고 하고 싶어 하는 것을 찾아서 할 수 있게 하는 게 차라리 '아이들이 세상에 적응할 수 있게' 돕는 것이라 생각한다. 세상 인구의 구십 퍼센트 이상은 인문학이니 철학이니 하는 거 전혀 몰라도 잘 먹고 잘살지 않는가. 하지만 이제 의미 없이 계속 그런 논쟁하는 건 싫다. 몇 년간의 경험으로 아무 의미 없다는 것을 알았다. 그러니 그런 부분은 잘라내고, 필요한 말을 하자.

"오늘 애들 싸웠잖아. 그냥 떼어 두는 것만 생각해도 좋은 거 아냐?"

4

멱살잡이가 끝난 후, 창현을 데리고 교실 밖으로 나왔다. 그리고 곧바로 체육관으로 향했다. 원래도 수업이 끝나면 데려갈 생각이었지만, 그사이 사고를 칠 줄은 몰랐다. 나는 패싸움은 왜 했냐고 물었다. 처음에는 잘 말하려 하지 않았으나 손목을 거칠게 당기니 하나하나 털어놓았다. 하찮은 이유였다. 그의 말 사이사이에서 보이는 것은 결국, 싸움을 잘해서였다. 그리고 창현 역시 싸움을 잘하고 싶어 했다. 왜 잘하고 싶은지까지는 묻지 않았다. 어차피 듣는다고 내가 뭘 해줄 수 있는 것도 아니니까. 일단 체육관에 넣어 놓고 결과를 보면 될 일이었다.

체육관에는 다양한 사람이 있다. 창현보다 잘하는 사람도 못하는 사람도, 괴롭힘을 당하는 아이도 살 빼러 온 사람도 있다. 하지만 학교와 확연히 다른 것은, 어른과 학생이 뒤섞여서 같은 것을 한다는 것. 그리고 자신보다 비교도 할 수 없을 정도로 훨씬 강한 사람들이 수두룩 하다는 것. 이런 환경에서, 즉 '대장질'하고 싶은 것이 아니라 정말 치고 박는 것을 잘하고 싶은 거라면, 그 목적을 위해 참고 인내할 수 있다면 좋은 선수가 될지도 모르는 일이었다. 비록 키는 작지만, 격투기는 체급을 나눠 싸우니 큰 흠도 아니었다. 관장님은 챔피언도 여럿 만들어 체육관 체인점 코치로 넣기도 했으니 잘만 하면 사회 적응도 잘할 거다.

나는 수희처럼 적당히 좋은 말 하며 진정한 가치 어쩌고 할 생각은 없다. 증명하면 되는 일이다. 가치라는 것은 하늘이 내려주는 것이 아니라 행동으로 만들어 내는 것이다. 억누를 것은 억누르고, 아플 것은 아프고, 버릴 것은 버리며 성취를 만들어 증명해 보이면 되는 일이다. 벌레가 아니라는 것을. 그만두고 싶으면 그만 두면 된다. 그럼 나도 그저 창현을 그 정도 되는 애라 생각하고 여전히 벌레라 생각할 것이니까. 애당초 가해자로서 책임이나 피해자 입장을 생각하라는 말을 하지 않는 것만 해도 감사히 여겨야 한다. 나는 그저 너를 탓하면 안 되는 입장에 있으니 하지 않는 거지, 다른 때였으면 이 정도의 호의도 없었을 것이다.

벌레 같은 새끼야.

5

한 칸짜리 방에 누우니 힘이 쭉 빠진다. 나른하다. 몸을 씻고 뽀송한 침대에 누워 있으니 오늘 있었던 일이 아득히 멀어지는 것 같다. 방은 좁지만, 침대와 이불에 누워 눈을 감으면 그런 것은 아무 상관 없었다. 어떤 환경에 있는지는 언제나 나를 크게 흔들어 놓았다. 그것을 깨달은 후에 침대에 누워 눈을 감는 것은 나를 하루 동안 있던 수많은 일들과 분리된 아늑한 공간으로 분리시키는 의식이었다.

시민 강연에 꼬박꼬박 나오던 지훈이가 메시지를 보내왔다. 선생님 강연이 듣고 싶다고. 우울증이 심했던 아이라 강연하는 동안 특별히 챙겼던 아이. 챙겼다고 해 봤자 강연이 끝난 뒤 쪼르르 다가와 하는 질문들에 친절하게 답변해 준 정도였지만, 아이는 그것만으로도 충분했는지 강연을 그만둔 지 반년이 되었는데도 여전히 내게 연락을 해 왔다.

'응응. 선생님은 이제 학교 방과 후 활동을 하게 돼서~ 지영쌤하고도 잘해보자!'

하지만 지훈이는 여전히 내 강의를 듣고 싶다고 했다. 이러면 안 되는데. 강연을 듣고 혼자 설 수 있는 힘을 내야지, 이렇게 의존하면 안 되는데. 아마 지훈이도 그것을 알고 있을 것이다. 강연에서 말했으니까. 그저 한 번 정도는 어리광 부리고 싶은 것일 거다. 나는 나중에, 주말에 강연할 기회가 있다면 한번 해 보겠다고 했다. 물론 못할 것이다. 시민 강연의 주 대상이 된 높으신 분들은 내 이야기를 흥미롭게 듣지 않을게 뻔했다.

강연에 자주 왔던 고등학생, 대학생 아이들이 그립다.
정말 내 강연이 의미가 있던 그 시절.

지훈이는 여전히 힘든 것 같았다. 처음 내가 아이를 볼 때만큼은 아니지만 여전히. 이런 아이들을 위해 나는 어떻게 해야 할까. 주변의 망치질에 이기지 못하고 찌그러져 울고 있는 아이들을 위해, 어떻게 해야 할까. 지금 나는 망치를 든 아이들이 잘먹고 잘살게 하기 위한 수업이나 하고 있는데.

힘들다.

벌레들.

구충 (2)

0

나는 파시스트다.

벌레 같은 것은 모조리 죽여버려야 한다.

1

수업이 없는 날에는 연구소에서 행정을 처리한다. 활동 보고서와 계획서를 준비하는 것은 물론이고, 청소년철학교실 외의 행정까지 처리를 해 주어야 한다. 장흥의 한 유학자가 아꼈던 넷째 제자를 발굴하는 프로젝트와 워크숍, 8월에 시민 강연을 들은 사람들과 갈 독일 여행 계획도 짜야 하는 데다가 자잘한 일 처리도 맡아 하고 있다. 그래도 규칙에 따라 일이 생기면 조금 나을 텐데, 언제나 변수가 있다. 오늘은 시민회관 예약이 갑작스레 취소되었다. 강연을 맡은 지영 선생님은 이렇게 갑자기 취소하는 게 어디 있냐며 투덜거렸다.

"수도관 노후면 빨리 교체할 것이지, 왜 굳이 다음 주 금요일에 교체한다는 건지 모르겠다니까요."
"그러게요…."

입으로는 맞장구를 치지만 손은 바쁘게 움직였다. 당장에 닥친 강연을 어떻게 할지부터 해결해야 한다. 사람들을 다 수용할 만큼 넓으면서도 높으신 분들이 좋아할 만큼 깔끔한 강의실을 찾기는 쉬운 일이 아니다. 아주 휘황찬란하진 않더라도 그분들이 매일 들어가는 회의실보다는 깔끔해야 했다. 지영 선생님은 그냥 아무 세미나실이나 빌리면 안 되냐고 물었지만 나는 좀 더 찾아보겠다고 말했다. 대학원 시절 알고 지내던 인문학 카페 사장님이 있다. 그쪽에 연락을 드리면 하루 정도는 대관해 주실지도 몰랐다.

"그런데 쌤, 혹시 어제 무슨 일 있었어요?"
"네?"
"수희쌤이 소장님 방에서 한참 동안 안 나오시길래요. 수업 때 무슨 일이 있었나 싶어서."

지영 선생님의 말에 나도 짚이는 것이 없었다. 어제 일이야 많았지만 결국 선생님들께 알리지 않는 방향으로 결론이 났고, 창현이가 수업에서 빠지게 된 것도 방금 막 보고서로 제출한 참이다. 문제가 있더라도 청소년철학교실의 총책임자는 나이니 굳이 수희를 데려다 책임을 물을 것도 없었다. 영 찝찝하지만, 일단은 넘어가기로 했다. 내가 알아야 하는 내용이면 어차피 곧 알려올 것이다.

"다른 일 때문 아닐까요? 저희 교실에는 따로 뭐 없는 것 같은데…."
"정말 모르세요?"
"네?"

얼굴을 불쑥 내밀며 다시 묻는 지영 선생님이 조금 부담스럽다. 정말 모르냐는 말도 무슨 말인지 잘 잡히지 않았다. 정말 사람의 의도를 헤아리기는 어려운 일이다.

"무슨 말씀이시죠?"
"그냥, 가끔 쌤 보고 있다 보면 뭔가 다 알고 있다는 듯이 초연하게 있는데, 정작 물어보면 모른다고만 하니까. 진짜 모르는 건지 궁금해서요."

말 하나하나가 수수께끼 같다. 내가 다 알고 있다는 것처럼 초연했나? 물어볼 때마다 모른다고 했나? 잘 모르겠으니 그냥 웃으며 "제가 그랬나요?" 했다. 지영 선생님도 웃어넘겼다. 무언가 내가 대화를 잘 못하는 잘못된 사람이 된 것 같은 기분이 든다. 하지만 이런 기분쯤, 매일 느끼는 것이니 새삼스러운 것도 없다.

"아무튼, 같이 일하시니까 혹시 아시나 해서 물어봤어요. 학부도 같이 다니셨다면서요? 좀 친하게 지내고 그래요."
"하하, 네."

지영 선생님은 이래서 어렵다. 아직 어려서 그런지 스스럼없이 애교 있게 웃으며 불편한 부분을 푹푹 찌른다. 아니, 높으신 분들과는 다 잘 지내는 것 보니 나만 찌르는 건가? 어느 쪽이든 어렵다. 무언가 들은 말이 있어서 그런 건지. 특히 수희는 전부터 뒷담화하는데 거리낌이 없었으니 괜히 신경 쓰인다.

카페 사장님께 연락드려 카페를 빌리기로 약속받곤 지영 선생님에게 해결했다고 전해주었다. 지영 선생님은 고맙다고 꾸벅 인사를 하곤 자리로 돌아갔다. 맡은 업무가 아마, 시민 강연이랑 장흥 어디 있던 유학자의 네 번째 제자가 세운 업적을 찾는 거였던 것 같다. 아직 나이 든 사람들 중에는 가문 같은 것을 중요시하는지, 자기 조상이 훌륭한 사람이길 바라니까. 그래도 강연 이전까지는 우리의 주된 돈벌이 수단이었으니 앞으로도 꾸준히 조상 세탁을 해 주겠지. 강연은 고위층과의 지적 유희, 공부는 잘 사는 사람들의 조상 세탁…. 나는 깊이 생각하지 않기로 했다. 그것 말고도 할 것은 많으니까.

생각이 많아지면 너무 무거워서 축 가라앉게 된다.

2

"시연 씨, 계속 그러면 곤란해. 나중에 보고서도 써 내야 하는데, 갈수록 참여하는 사람이 떨어지면 되겠어?"
"죄송합니다."

소장님은 이번에 학생이 빠진 것으로 소장님은 한바탕 잔소리했다. 문득 부탁받아서 하는 건데 잔소리까지 들어야 하나 싶은 생각이 들었지만, 인원 수가 거의 반토막 난 것은 좀 심할 수도 있겠다고 생각해 잠자코 혼나기로 했다. 입을 다물고 한참 가만히 있으니, 소장님이 내 이름을 크게 불렀다.

"시연 씨! 말을 좀 들어. 왜 매번 말을 안 듣는 것 같지?"
"죄송합니다."
"아니, 죄송합니다가 아니라…."

소장님은 한숨을 푹 쉬었다. 평소였다면 그러려니 했겠는데, 조금 전 지영 선생님께 들은 말이 있어서인지 괜히 신경 쓰였다. 내가 사람 말을 잘 안 듣나? 한 번도 일 처리에서 실수가 있던 적이 없을 정도로 말 길은 척척 들은 것 같은데. 소장님도 뭐라 말로는 표현하지 못하시겠는지 말을 넣으시곤 다른 이야기를 꺼내셨다.

"혹시 청소년철학교실에서 빠지고 싶나?"

"예?"

"지영씨 자리에 시연 씨가 들어가면 어때? 시민 강연이랑, 장흥. 시연 씨 강연 좋아했잖아."

괜찮았다. 오히려 바라마지않던 제안이다. 하지만 이해가 되지 않았다. 이미 시민 강연은 이전과 성격이 달라져 내가 들어가면 여태 쌓아둔 인맥까지 흩어질 공산이 컸고, 장흥 관련해서도 이미 하던 사람이 계속하는 것이 자료 이용 측면에서 나을 것이었다. 그리고 내가 하는 것은 청소년철학교실과 행정 실무인데, 행정 실무를 갑자기 바꾸면 꽤 번거로울 것이다. 굳이 바꿀 이유가 없었다.

"혹시 이유를 여쭤도 되겠습니까?"

"아니 뭐, 원래 별로 하기 싫어했잖아. 학생들 계속 빠지는 것도 그것 때문인가 싶고. 하고 싶으면 계속하고."

은근슬쩍 내게 학생들이 빠지는 책임을 떠넘기시려 한다. 사실 그건 맞긴 하지만, 솔직히 말해서 학생들이 줄어드는 것은 소장님과 연구소에 아무런 해가 없다. 서류상으로는 15명이 올라가 있고, 전원 수료로 기록될 것이다. 수희야 자신의 신념이 있어 학생이 줄어드는 것에 민감하지만, 소장님은 그런 신념이 있는 것도 아니다. 그렇다면 왜 나를 빼려 하는 걸까? 조금 전까지 쏘아붙이듯 말하던 소장님이 비실비실 눈을 피하는 이유가 뭘까? 괜히 무언가 있는 것 같았다.

생각이 문득 수희에 닿았다. 바로 전날에도 수희와 의견 충돌이 있었고, 애초에 수업을 이끄는 방식 자체가 정반대였으니 내가 없으면 좋겠다고 생각할 만도 하다. 시민 강연의 주요 대상층이 사회 엘리트 계층으로 바뀌었다지만, 여전히 머릿수를 차지하는 것은 전교조와 노조였고, 전교조의 스타 부모님을 둔 수희의 입김이 꽤 센 것도 사실이다. 소장님은 수희의 입김이 더 세지지 않게 하려 나와 함께 배치했지만, 내가 그 역할을 잘 못하는 데다 수희와 불화까지 있다면 차라리 나를 다른 곳으로 배치하고 수희를 부드럽게 억제할 수 있는 다른 사람과 짝을 맞추는 게 나을 수도 있을 것이다.

그렇게 생각하니 오히려 속이 시원했다. 그래. 애당초 수희와 함께 일하는 것이 무리였다. 어차피 마음에도 안 들었던 벌레 새끼들은 버리고, 전처럼 연구나 하는 게 나을지도 모르겠다. 강연하게 되면 뭐, 하면 되지. 적어도 지금보다는 나을 것이다.

수희랑 더 이상 마찰을 만들고 싶지 않다.

3

학부생 시절, 나와 수희는 두 명의 친구와 함께 다녔다. 철현과 연희. 우리 넷은 늘 수업 시간에 맨 앞에 앉아 열정적으로 수업을 들었고, 토론이라도 하게 되면 불똥이 튀길 정도로 화끈하게 했다. 갈 곳이 없으면 늘 과 학생회실로 갔는데, 그곳에는 늘 넷 중 하나가 이미 와 있어 이야기가 마를 틈이 없었다. 신입생 때는 머리에 사상가들의 사상을 넣기에도 바빴던지라 서로가 얼마나 다른지도 잘 모르고 그저 함께 있는 것이 좋았다. 같이 밥을 먹고, 되도 않는 토론을 하고, 잡담을 하고 술을 마시는 그것만으로도 충분히 좋았다. 문제는 2학년에 되고 나서야 서로의 신념이 상당히 다르다는 것을 알아챈 것이다.

어느 날 철현은 곧 군대 간다는 사람에게 고양이 네 마리를 분양받아왔다. 우리는 그의 자취방에서 한 마리씩 고양이를 안고 시간을 보내곤 했다. 나는 고양이를 딱히 좋아하지는 않았지만 한 마리가 내버려 두기 영 그래서 데리고 있었고, 연희는 늘 그렇듯 그냥 고양이를 들고 멍하니 이야기를 듣고 있었다. 수희는 고양이를 어여삐 여겼고, 철현은 그냥 고양이같이 대했다. 그때 했던 생각이야 뭐, 철현은 네 마리나 되는 고양이를 어떻게 먹여 살리려고 그러는 걸까 하는 것 정도였다. 하지만 내가 신경 쓸 바는 아니었다. 나는 고양이에 대해 전혀 모르니까. 반면 수희는 철현에게 꼬치꼬치 캐물었는데, 철현의 대답이 썩 마음에 들지 않았나 보다. 될 대로 되라는 식으로 말하는 철현에게 그럴 거면 왜 분양받았냐며 화까지 내었다. 연희는 그냥 가만히 고양이를 안고 있었다.

문제는 고양이들이 한 달도 채 되지 않아 모조리 도망을 쳐버린 것이다. 철현이 급하게 도와달라고 연락했고, 나는 아침 해가 뜰 때까지 고양이를 찾아다녔지만 끝내 찾지 못했다. 사실 나는 고양이의 생김새를 잘 구별하지 못해, 보더라도 몰랐을 것이다. 그래도 집고양이 네 마리인 데다가 그리 멀리 가진 않았을 텐데, 한 마리도 보이지 않는 것은 이상했다. 마치 처음부터 사라지기 위해 찾아왔던 게 아닐까 싶을 정도였다. 철현은 자신을 무척 자책했다. 개는 집 문을 열어놓는다고 도망치지 않으니까, 고양이도 당연히 그럴 줄 알았다는 것이다. 나는 일단 철현을 다독여 주었다. 고양이는 가출을 잘한다는건 고양이에 관심이 없는 나도 아는데, 대체 무슨 용기로 네 마리나 고양이를 분양했나 싶었지만 그런 마음은 접어 두었다. 아무 도움 안 되는 말이니까.

그냥 지나갔으면 좋으련만. 아니, 그냥 지나갈 수 없는 문제였을까? 철현이 한 짓은 고양이를 사지로 내모는 싸이코패스 같은 짓이고, 세상에 존재해서는 안 될 천인공노할 짓이었으니 지나가서는 안 되었던 걸지도 모른다. 고양이를 분양해 주었던 전 주인이 마지막으로 한 번만 고양이를 보고 싶다고 했던 것이다. 철현은 고양이들은 다 도망쳤다며 사과했다. 그 말을 듣는 순간 답답해 죽는 줄 알았다. 아니, 무슨 수를 써서라도 얼버무렸어야지. 그걸 그렇게 말해? 철현의 말을 들은 전 주인은 방방 날뛰었고, 학교 게시판에 장문의 글을 쓴 저격 글을 올렸다. 글은 순식간에 천 명 단위의 공감을 얻으며 인터넷 곳곳에 일파만파 퍼지게 되었다. 고양이를 분양받아서는 길에 버린다는 내용의 글이 뉴스에까지 나왔다. 철현은 아무것도 할 수 없었다. 그래도 정확히 이름은 나오지 않았으니, 시간이 지난다면 자신이라는 것은 안 들킬 수 있으리라고 생각한 것 같았다.

그러나 휴학을 하고 집 안에만 있던 철현과는 달리 학생회실에 계속 드나들던 나는 더 절망스러운 광경을 목격했다. 고양이 유기범이 철현이라고 말하고 다니는 수희를 말이다. 나는 그 자리에서 곧바로 고양이가 도망친 거지 철현이 고의로 버린 것이 아니라고 항변하였으나, 사람들은 고양이 입장에선 어차피 똑같은 거 아니냐고 반문했다. 맞는 말이라 무어라 말할 수 없었다. 하지만 아무리 맞는 말이라고 해도 이렇게 사람이 문밖으로 나오지도 못할 정도로 소문을 퍼뜨리는 것은 잘못된 것 같았다. 안 그래도 철현의 동생이 세상을 뜬 지 얼마 안 되어 힘들어하던 시기였다. 그런데 그걸 뻔히 알면서도 소문을 내는 수희를 이해할 수 없었다. 다른 사람들에게 철현의 동생 이야기를 할 수는 없었고, 집 안에 웅크린 채 팔뚝을 긁고 있는 것을 말할 수도 없었다. 그건 철현의 프라이버시니까. 결국 나는 누구도 설득할 수 없었고, 철현에게 아무런 도움도 되지 않았다.

그래도 수희와 둘이 이야기하면 나아지지 않을까 싶었다. 이러니 저러니 해도 나는 우리들 사이에 정이라던가 의리라던가, 끈끈한 무언가가 있다고 생각했으니까. 하지만 전혀 아니었다. 수희는 지금이나 그때나 똑같았다.

"너는 약자에 대해 그 정도밖에 생각을 안 해?"

"아니, 그런 문제가 아니라, 철현이 진짜 많이 힘들어해서 그래. 너도 알잖아."

"개 때문에 충격받은 채로 군대 간 전 주인분은 생각 안하고? 길거리에서 죽게 된 고양이는?"

“이런다고 고양이가 돌아오는 것도 아니고, 훈련소에 간 그분의 기분이 나아지는 것도 아니잖아.”
“너 진짜 공감 능력 쓰레기다. 애초에 말하고 말고는 내 자유 아니야?”

우리는 그날 합의를 보았다. 적어도 내 앞에서는 그렇게 말하지 말아 달라고. 그래도 친구인데, 눈앞에서 더 힘들어지는 것을 그냥 가만있을 수도 없지 않겠냐고. 수희는 못마땅해 보였으나 고개를 끄덕였다. 그래도 다행이었다. 보통 나는 학생회실에 있고, 불특정 다수가 듣는 일은 덜 해질 것이라 여겼으니까. 하지만 수희는 약속을 전혀 지키지 않았다. 오히려 나까지도 ‘그런 놈을 옹호하는 똑같은 놈’이 되어 있었다. 내가 이 사실을 철현에게 알리자, 양심 고백한 자신을 가해자에게 은밀히 알려주는 박쥐 같은 놈이 되어 있었다.

철현은 몇 번이나 수희와 이야기하려 했으나 수희는 만나주지 않았다. 학생회실이나 강의실에 찾아간 것은 덩치 큰 남자애가 여자애를 스토킹하는 것이 되었고, 학생회 차원에서 철현을 막았다. 당연했다. 학생회에는 연희가 있었고, 연희는 수희와 비밀 연애 중이었으니까. 그 일이 있고 난 뒤로 수희는 자유와 소수자의 권리 신장을 위해 힘쓰는 아이로 비춰주었다. 고양이는 어느새 소수자가 되어 있었고, 정신병원에 입원한 철현은 약자를 탄압하는 인간 중심주의의 파시스트가 되어있었다. 이 이야기는 인터넷 유머 사이트에까지 널리 퍼졌다.

4

옛 생각을 하니 복잡한 기분이 들었다. 불안일까? 학생의 인권을 짓밟고 힘으로 해결하는 폭력 교사라는 타이틀로 나도 인터넷에 박제해 버리려는 것일까 걱정하는 것일까? 그것이 없지는 않은 것 같지만, 불안보다는 슬픔에 가까운 것 같았다. 눈에 비치는 풍경들은, 다 같이 불꽃놀이를 했던 때다. 학교 호수 앞에 줄줄이 앉아 파스스 불 싸라기를 흘리던 신입생 시절 말이다. 연희는 수희를 짝사랑하고, 철현은 동물이나 곤충에 대해 박식했고, 나는 그냥 하루 종일 함께 있는 것만으로도 좋았던 때. 수희는 그때 무슨 생각을 했을지 모르지만, 나는 그때가 그립다.

금요일 수업이 끝난 후, 수희에게 털어놓았다. 아니, 철현이니 연희니 하는 이름을 꺼내 놓으면서 털어놓지는 못했다. 철현은 괜히 끝난 일을 끄집어내어 부스럼 만들 수 없었고, 연희는 이미 수희와 헤어진 지 오래되었다. 수희가 정말로 나를 내보내려는 건지도 모르기에 그걸 직설적으로 말할 수도 없었다. 아니, 하려고 하면 했을지도 모른다. 그러나 나는 그러지 않았다. 나는 청소년철학교실을 그만두는 것이 무서운 것도 아니었고, 연구소 사람들이 나를 힐난할 것이 두려운 것도 아니었다. 아니, 두렵지만 딱 한 가지 말만 전할 수 있다면 전할 것은 저런 것이 아니었다. 나는 그저 한때 가장 친했던 친구 중 하나가 나의 아픔을 부정하는 것이 슬픈 것이다. 철현이 힘든 것을 무시한 것처럼, 내가 아픈 것을 못 본 체하는 것이 우리의 소통 가능성을 죽이는 것 같았다. 내가 털어놓은 것은 그것이었다. 얼마나 이 수업이 내게 아픈 것인지, 그것만 알아준다면 수희가 원하는 대로 다 흘러가도 괜찮을 것 같았다.

"너도 알잖아. 나도 학교폭력을 당했어. 선생님 앞인데도 슬리퍼로 뺨 맞고, 얼굴에 침 맞고, 얼굴 찢어질 정도로 맞았어. 그래도 그건 사소했어. 아무도 도와주지 않고, 도움을 청하면 오히려 내가 이상한 사람인 것처럼 보는 시선들에 비하면. 네가 이상한 거면서 왜 가만히 있는 우리를 끌어들이려 하냐는 말에 비하면."

"나도 네가 무슨 말 하는 지 알아. 다 사정이 있고 맥락이 있지. 내가 중학교를 졸업하던 날, 학교 앞에 있던 집창촌이 재개발을 위해 철거당하고 있었어. 그런데 거기서 나를 가장 괴롭히던 아이가 나왔을 때, 내가 무슨 생각을 했는지 알아?"

"얘도 결핍이 있구나. 그래서 그랬구나. 그래, 너도 사정이 있었겠지. 힘든 게 있었겠지. 그렇게 생각하고 그날부터 그 아이를 이해하려 노력했어. 그런데,"

왜 자꾸 그렇게 말하냐고. 너는 내가 어떤 생활을 보냈는지, 학부 시절부터 듣지 않았냐고. 나도 네가 말하는 거 모르는 게 아니야. 아는데, 너무 힘든 걸 어떻게 해. 그 순간 눈에서 눈물이 터졌다. 수희는 깜짝 놀라 냅킨을 꺼내 주었다. 미안하다고. 수희가 미안하다고 말했다. 한 번도 남에게 사과한 적 없던 수희가. 나는 그 사과를 믿고 싶었다. 아마 내 감정이 하나도 전해지지 않았을지라도, 그래도 우리가 대화를 했으면 적어도 연구소에서의 일은 조율할 수 있었다는 지나간 희망이라도 붙잡고 싶었다.

우리는 오랜만에 함께 술을 마셨다. 같은 연구소에 다니며 두껍게 쌓여있던 벽이 조금은 허물어지는 것 같았다. 연희 이야기가 많이 나왔다. 수희는 연희가 어떻게 사는지 궁금해했다. 헤어진 지 이 년은 되었는데, 그래도 연희 생각이 난다고. 사랑이나 그리움보다는 걱정하는 것 같았다. 나는 괜찮다고 말했다. 계속 같이 있어주고 있다고. 나는 왜 둘이 헤어진 것이냐고 물었다. 대충은 들었는데, 잘은 말을 안 해준다고. 수희는 연희가 군대에서 힘든 감정을 자신에게 너무 들이부었다고 말했다. 자신도 부모님과 함께 활동하느라고 힘든데, 도와줄 수 없는 영역의 우울함을 매일 하소연하는 것이 너무 힘들었다고. 연희도 내게, 자신이 수희를 많이 힘들게 했다고 말한 적이 있었다. 그저 우울해서 혼자 가라앉은 것이 아니라 제법 괜찮은 사실이었나보다. 나는 고생했다고 말했다.

술이 많이 들어가니 머리가 살짝 어지러웠다. 내가 생각하는 것과 입이 조금은 다르게 움직이는 것 같았다. 나는 네가 나를 싫어하는 줄 알았다고 말했다. 철현 일이 있을 때, 수희는 나를 증오하는 것처럼 행동했으니까. 그리고 연구소에서 인사를 하더라도 어정쩡하게 피해 다녔으니까. 수희는 자신도 나를 어떻게 대해야 할지 잘 모르겠다고 말했다. 그때 일도 조금은 후회하고 있다고. 나는 감정이 북받쳐 올라, 고맙다고 말했다. 어쩌면 나는 수희에게 섭섭했던 것이 아닐까? 그냥 사과를 듣고 싶은데 그럴 수 없다고 포기해 버려서, 계속 먼 길만 돌고 있었던 것인지도 모른다. 그날 대화는 꼭 20살 여름 같았다. 그때는 저녁부터 해가 뜰 때까지 과학생회실에 앉아 수희와 이야기했다. 철현과 연희가 모두 집에 돌아가도, 우리는 몇 날 며칠을 이야기했다. 서로를 위로하며 나날이 버텨갔다. 맞아, 그랬던 날들이 있었다.

문득, 이래서는 안 된다는 생각이 들었다. 철현에게도, 연희에게도 몹쓸 짓이라는 생각이 들었다. 처음 우리가 친했을 때는 아무 생각도 하지 않아도 되었는데. 연희가 수희를 좋아하기 전이고, 철현이 수희와 싸우기 전이었다. 그때 나와 수희는 정말로 많이 친했던 것 같다. 아니, 아니다. 갑작스레 기억을 비집고 들어오는, 이래서는 안 된다는 기억이 있다. 저 멀리 희미하게, 하지만 분명하게 보이는 기억. 하지만 나는 그날 수희의 위로가 너무도 달콤했다. 그 온기가 너무도 따뜻해서, 나는 잊어서는 안 되는 어느 기억을 저 구석으로 밀어 넣었다. 그 자리를 대신하여, 수희도 지금 나와 같은 기분일지 궁금해진다. 손가락 사이로 보이는 것은 붉어진 피부뿐이다. 나는 말했다.

“다행이야.”

네가 나를 부정하지 않아서.

그거면 되었다. 아니, 아무것도 되지 않았을지도 모르지만 이제 되었다. 그렇게 생각했다.

5

수희가 나와 수업을 못 하겠다고 한 것은 사실이었다. 소장님 역시 내게 다른 일을 맡기려 했던 것이 맞았다. 하지만 결국 그런 일은 없었다. 하루 만에 수희와의 관계가 온전히 돌아온 것은 아니다. 아니, 오히려 다시는 돌아갈 수 없을 것이다. 상처가 아물기 전에는 다시 붙을 수도 있는 것이지만, 벌어진 채로 딱지가 생겨버리면 붙일 수는 없는 것이다. 흉도 남을 것이고, 어쩌면 우둘투둘하니 꽤나 보기 싫은 모습이 될지도 모른다. 그래도 이제 전보다는 덜 아플 수 있을 것 같았다. 그리고 어쩌면 새살이 돋을지도 모른다는 막연한 희망을 품을 수 있게 되었다.

연구소는 결국 이 년을 더 하지 못하고 그만두었다. 연희는 늘 죽을 것 같다고 하면서도 아직 살아있고, 철현은 그사이 연락이 끊겼다. 수희는 나보다도 먼저 연구소를 그만두고 해외로 떠났다. 박사를 딸 거라나. 나는 우선 그간 모은 돈으로 석 달 정도는 푹 쉬려 한다. 그 후에 다시 대학원으로 돌아갈지, 아니면 본격적으로 강연 사업이나 취업을 준비할지는 아직 모르겠다.

창현이는 이 년 동안 프로 무대에 진입했다. 한국 일등 단체까지는 아니지만 나름 메이저한 곳이고, 어린 나이에 승승장구해 나가는 것 같다. 고등학교에는 진학하지 않았다. 지훈이는 심리학과로 대학에 갔다. 상담을 전공하겠다고 한다. 메이크업 아티스트를 하겠다던 아이는 실업계 뷰티미용학과로 갔는데, 대학도 같은 전공으로 가고 싶다고 했다. 이름도 잘 기억 안 나는 다른 녀석들 중에는 법원을 들락날락 하는 녀석도 있다.

나는 그곳에서 일하며 무언가를 얻었을까? 그런 것 같긴 하다. 하지만 무엇을 얻었는지는 잘 모르겠다. 앞으로 살아가며 사람들과 부대끼다 보면 알 수 있을지도 모르겠다.

삼자대면

목포에서 제주도로 출항한 배가 난파되었다. 필리핀 노동자 한 명과 관광하러 온 중국 사업가 한 명, 그리고 배에서 매점을 운영하던 한국 알바생 한 명이 작은 섬으로 떠내려왔다. 다행히 멀쩡한 슬레이트 지붕 한 채를 발견해 그곳에서 보름을 보냈다. 필리핀 노동자와 중국 청년은 말이 통하지 않았으나 중문과를 나온 한국인은 어렵게나마 둘의 말을 알아들을 수 있었다.

"저 중국인은 이해할 수가 없다. 내가 찾아온 것들은 다 처먹으면서, 일은 안 하고 해안가에서 쓸데없는 짓만 한다."

필리핀인은 비어 있는 중국인의 잠자리를 보고 영어로 툴툴거렸다. 중국인은 아침이면 늘 밖으로 나가 바다 건너편으로 고래고래소리를 질렀는데, 그 딴에는 구조 신호랍시고 하는 일이었으나 필리핀인에겐 헛짓거리로만 보였다. 이미 보름이나 지나버린 데다, 당장 먹을 것도 없는 판국에 일단은 먹고 살아야 한다는 것이다. 그럴 때면 한국인은 "너무 그러지 마라. 그래도 그가 구조대를 데려올지도 모르잖냐."하며 필리핀인을 타이르곤 했다. 필리핀인은 투덜거리면서도 전에 살던 이가 남겼을지도 모르는 식료품을 찾아 텃밭이나 창고를 뒤지러 갔다.

중국인은 오늘도 해안가에서 반대편을 향해 악을 쓰고 있었다. 그는 저 너머에 작은 섬의 끄트머리가 보인다며 구조의 희망을 놓지 않았다. 그의 말마따나 해안선 끝에는 나무 비스므리한 무언가가 삐죽 솟아 있었는데, 그렇다고 사람이나 배가 보이지는 않았다. 애초에 그것이 정말 나무가 맞는지도 확실하지 않았다. 그럼에도 그는 목이 쉬어 소리를 지를 수 없는 날에는 연기를 피우려 다 쓴 라이터를 대체할 부싯돌을 찾겠답시고 해안가의 맨들맨들한 돌이란 돌들은 다 집어 서로 부딪혀 불똥이 튀는지 볼 정도로 탈출에 열심이었다. 한국인은 "슬슬 먹을 것 찾기가 힘들어지고 있다. 식량도 같이 찾아보자."하고 설득해 보려 했으나 그는 시간이 지날수록 구조될 확률은 줄 뿐이라며, 살기 위해 하는 행동임을 이해해 달라고 말했다.

필리핀인은 이야기를 듣자마자 노발대발 화를 내며 그의 멱살을 잡으려 바다로 나가려 했으나 한국인이 그의 팔다리를 붙잡고 겨우 매달려 그런 일은 일어나지 않았다. 한국인은 중국인이 하는 일도 중요한 것이라며 겨우 그를 달랬고, 필리핀인은 차라리 이곳에서 구조대를 기다리는 게 더 나을 것이라 말하며 앞으로 딱 삼 일만 더 참겠다고 말했다. 그의 판단도 일리가 있었는데, 집은 먼지가 살짝 쌓인 것 말고는 얼마 전까지 누가 살았던 것처럼 텃밭도 얼추 일구어져 있었을 뿐 아니라 수확도 되지 않은 고구마나 씨감자도 그대로 있어 정말 내일이라도 누군가 다시 올 것 같았기 때문이다. 당분간만 잘 보내면 집주인이 돌아왔을 때 구조될 수 있으리라 생각하고 있었다.

한국인은 중국인에게 필리핀인의 노고와 생각 생각을 전달했으나 중국인은 오히려 한숨을 푹 쉬었다. 한국인이 왜 그러느냐고 묻자, 자신은 이곳에 그렇게 오래 있을 수 없으며, 떡 하니 옆 섬도 있고, 아직 구조대가 한창 활동하고 있을 텐데 그런 선택은 아직 너무 이르다는 것이었다. 한국인은 아직 옆 섬에 사람이 사는지 모르지 않냐며 필리핀인의 사정을 조금만 이해해 달라 부탁했다. 그러나 그는 집 역시 언제 사람이 올지 모르는 건 매한가지이며, 혹여 주인이 죽기라도 한 것이면 어쩌려고 그러냐고 반문하였다. 중국인은 지금이 자신의 사업 흥망이 걸린 중요한 타이밍이라며 하루라도 빨리 돌아가야 하니 필리핀인에게 잘 좀 말해달라 사정했다.

한국인은 중국인의 사정을 딱하게 생각하여 필리핀인에게 전해주며 어차피 삼 일은 그냥 내버려 두기로 한 거, 그 후에는 서로 조금씩만 더 이해해서 함께 식량을 찾고 구조 요청을 보내자 이야기했으나 필리핀인은 오히려 이래서 사업가란 족속들은 상종하면 안 된다고 코웃음 쳤다. 시니컬한 반응에 한국인이 왜 그러냐고 물으니, 그는 자신이 당했던 외국인 노동자로서 차별을 읊었다. 저런 것들은 자기 일만 중요하다고, 자신 같은 노동자는 아것도 없다고 생각하니 저런 말을 자연스럽게 하는 거라며 제 감정을 이기지 못하고 격양된 채 소리 질렀다. 결국 한국인은 자신이 중국인에게 사과해달라 말해보겠다며 그를 달랬다.

필리핀인이 사과를 요구한다는 말을 전해 주니 중국인은 헛웃음을 지었다. 그래도 양측을 오가며 끝없이 설득한 끝에 삼자대면을 열 수 있었다. 불편한 공기 속, 통역을 맡은 한국인은 숨죽인 채 둘의 이야기를 받아 전했다.

행복 정신병동 402호

행복 정신병동 403호에는 김이루 씨가 내원해 있다. 그녀는 환각과 환청으로 주변 사람들에게 달려들거나 괴성을 지르며 달려 나가는 경우가 비일비재한 병원의 골칫거리다. 그녀는 정신이 들면 뒤늦게 사람들과 친해지려 생양파를 선물로 주곤 했다. 눈 감고 먹으면 참 맛있어요. 하지만 그녀의 선물을 받는 사람은 한참 동안 없었다.

하진오 씨는 처음으로 김이루 씨의 말을 믿고 생양파를 씹어본 사람이었다. 그는 김이루 씨에게 사과 맛이 나는 것 같다고 말했다. 김이루 씨는 처음으로 자신의 말을 믿어준 사람이 있다는 사실에 뛸 듯이 기뻤다. 그 후로 하진오 씨와 김이루 씨는 함께 시간을 보내는 날이 많아졌다.

“다른 맛있는 것도 있는데, 굳이 양파를 먹는 이유가 있니?”
“양파라는 것만 모르면 맛있다는 게 멋지기 때문이란다.”
“세상에! 모르기에 더 사랑스러운 것도 있는 법이지.”
“그것을 알려고 노력한다면 말이야.”
“너는 어떤 노력을 했니?”
“내가 싫어했던 음식을 전부 먹어보고, 무슨 맛인지 계속 생각했어.”

하진오 씨는 김이루 씨에게 자신은 이번에 새로 고용된 가드라고 말했다. 사건이 생기면 재빠르게 제압하는 가드. 하진오 씨는 병원이 생각보다 평화로워서 놀랐다며, 자신이 생각해 온 정신병동의 이미지가 편견이었다고 말했다. 그 말을 들은 김이루 씨는 괜시리 부끄러워졌다. 김이루 씨 말고는 소란을 일으키는 사람이 없었기 때문이다. 하진오 씨는 앞으로도 편했으면 좋겠다며 농담처럼 말했고, 김이루 씨 역시 고개를 끄덕였다.

김이루 씨는 하진오 씨와의 대화가 쌓여갈 때마다 마음속 깊은 심지에서 싹이 돋는 듯 싱숭생숭해졌다. 그녀에게 끊이지 않는 대화는 몹시 매력적이고도 충격적인 경험이었다. 하진오 씨에 대해 생각하는 날이 하루하루 생겨나더니, 어느새 그와 대화하는 시간을 기다리며 살아가기 시작했다. 그러나 하진오 씨를 생각하는 마음이 커질수록 그가 했던 말은 점점 김이루 씨를 옭아맸다. 앞으로도 편했으면 좋겠어. 그 말은 김이루 씨에게 경고하는 말처럼 받아들여졌고, 김이루 씨는 자신이 소란을 일으킨다면 그가 이곳을 떠날지도 모른다는 불안에 휩싸였다.

그녀에게 강박은 병의 악화였다. 그러나 그녀는 오히려 병이 나은 척 연기하기 시작했다. 병원이 무너지는 착각이 들어도, 주변 사람들이 자신을 향해 목을 180도 돌리고 욕을 해도 아무것도 보이지 않는 척했다. 복도를 거닐다 하진오 씨를 만나면 많이 나았다고 거짓말을 했고, 혹여 의사가 가드들에게 자신을 주의 깊게 보라고 귀띔할까 싶어 문진 때도 환각이 보이지 않는다고 말했다. 의사는 약의 용량을 점점 줄여갔고, 김이루 씨는 겉보기에 점차 정상이 되어갔다.

가상의 세계가 보인다는 것은 사실이기에 그녀는 새까맣게 썩어가고 있었다. 밤이 되면 오감이 무뎌진 만큼 그녀의 뇌가 만들어내는 가상은 선명해졌는데, 그녀가 11월 26일 밤에 시달린 환청은 자살한 친구가 자신에게 조금만 더 신경을 써주지 그랬냐며 원망하는 소리였다. 12월 10일에는 그녀와 싸웠던 학교 후배가 멀쩡히 졸업한 자신과 일 년째 정신 병동에 입원해 있는 선배 중 누가 이상한 것인지 정말 모르겠냐며 조롱해 왔고, 12월 13일에는 신입생이던 김이루 씨를 성폭행한 학교 선배가 찾아와 밤새 몸을 더듬기도 했다. 김이루 씨는 매일매일 비명을 지르고 물건을 집어 던지고 싶었으며, 문이든 창문이든 뛰어들어 이곳을 벗어나고 싶었으나 병실 구석의 감시카메라와 소리가 다 통하는 얇은 벽을 생각하며 그녀는 가만히 눈을 감고 귀를 막았다. 귀를 막아도 선명히 들리는 그 소리를 느끼며, 봐 이건 환청이잖아, 스스로를 다독였다.

그녀는 자신의 껍질을 한 꺼풀씩 잘라 버리며 깨끗한 속살을 내보였다. 김이루 씨는 자신이 견딘 역겨움 만큼 하진오 씨와의 대화가 값지게 느껴졌다. 그러나 하진오 씨가 김이루 씨를 찾아오는 횟수는 점점 줄어들었고, 김이루 씨는 섭섭함이 느껴질 때마다 오히려 하진오 씨에 대한 마음을 깊게 가졌다. 어느새 그녀에게 하진오 씨는 세상을 견뎌낼 수 있는 원동력이면서 동시에 여태 견딘 아픔의 투자처이기도 했기에, 결코 그가 떠나서는 안 되게 되었다. 그런 김이루 씨에게 배상이라도 해주듯, 그녀는 하진오 씨의 목소리를 듣기 시작했다.

"너와 이야기하는 것이 좋아."

김이루 씨는 그것이 환청이라 생각하면서도 매일 그 소리가 들리면 좋겠다고 생각했다. 그녀의 바람대로 하진오 씨의 목소리는 점점 자주, 다양하게 들려왔다. 좋아해. 네가 이곳에서 나가면 사귀지 않을래? 달콤한 말들을 들으며 김이루 씨는 조용히 고개를 끄덕였다. 김이루 씨는 오래도록 얌전히 하진오 씨를 기다렸다.

그날도 김이루 씨는 하진오 씨의 목소리를 들으며 그를 기다리고 있었다. 새로 바뀐 봄 이불의 세탁이 잘되지 않았는지 피부가 조금 가려웠다. 그녀가 몸을 뒤척이자, 이불이 살짝 올라가며 그녀의 귀를 덮었다. 그러자 하진오 씨의 목소리가 거짓말처럼 사라졌다. 침대에서 몸을 벌떡 일으킨 김이루 씨는 그제야 소리의 출처가 402호 방향 얇은 벽이라는 것을 알았다.

이-어짐

밤산책가 동네문예지 3호

초판 1쇄 발행 2023년 05월 19일

글 조희진 전승현 김푸름 김머피 구산일 백승효 윤채 김효찬 이시찬
편집장 전승현
펴낸이 조승래
펴낸곳 밤산책가
디자인 장예슬
출판등록 제2021 - 000001호
주소 광주광역시 북구 서하로 194번길 15
연락처 yeosu115@naver.com

979-11-974185-3-2
979-11-974185-0-1 (세트)